실리콘밸리 마음산책

실리콘밸리 마음산책

발 행 | 2024년 3월 4일
저 자 | 김욱진
펴낸이 | 한건희
펴낸곳 | 주식회사 부크크
출판사등록 | 2014.07.15.(제2014-16호)
주 소 | 서울특별시 금천구 가산디지털1로 119 SK트윈타워 A동 305호
전 화 | 1670-8316
이메일 | info@bookk.co.kr

ISBN | 979-11-410-7402-9

www.bookk.co.kr

실리콘밸리 마음산책

김욱진 지음

김욱진

강릉에서 태어났다. 고려대학교에서 사회학을 전공했다. 학생 때 공부를 소홀히 한 탓에 졸업하고도 사회를 알고 싶다는 욕망에 휩싸여 산다. 세계를 떠돌 수 있는 직업을 찾아 헤매다 대한무역투자진흥공사(KOTRA)에 들어갔다. 2013년부터 5년간 이란 테헤란무역관에서 일했다. 학업을 병행해 이란 국제관계대학교에서 이란학을, 테헤란대학교에서 기업가정신을 공부했다. 2021년부터는 3년 동안 미국 실리콘밸리무역관에서 근무했다. 일하면서 미주한국일보에 '실리콘밸리 스케치'를, 내일신문에 '미국 현장 리포트'를 정기 기고했다. 지은 책으로 <어느 세계시민의 자발적 이란 표류기>, <일상이 산티아고>가 있다.

전자우편: oogiek@naver.com

저자의 말

쓰기 위해 산다.
혹은 살기 위해 쓴다.

실리콘밸리의 인물들이 품은 마음을 알고 싶었다.
알고 싶어서 틈만 나면 걸었고 걷다 보니 쓰게 됐다.

더 알려는 마음이 잘 살려는 의지라고 믿고 싶다.
앎을 위한 여정을 함께하는 가족에게 새삼 감사하다.

차 례

I. 걸어서 마음 속으로

Ⅱ. 혁신가의 마음을 찾아서

Ⅲ. 마음이 있다, 희망이 있다

들어가며: 굴하지 않는 마음

중요한 것은 꺾이지 않는 마음이라고 했다. 비단 스포츠에만 해당되는 금언이 아닐 테다. 나는 <실리콘밸리 마음산책>을 시작하면서 탁월한 인물의 마음을 다루려고 마음먹었다. 마음이란 무엇인가. 마음은 가슴에 있는가. 아니면 마음은 머리에 있는가. 오랫동안 궁금해한 질문이다. 과학적으로 그리고 기술적으로 마음은 뇌에 있을 것이다. 그럼에도 나는 인간적으로 그리고 문화적으로 마음이 심장에 있다는 말도 성립한다고 믿는다. 창업가가 주인공인 실리콘밸리에서 나는 주변인의 시선으로 일과 생활에 임할 수밖에 없었다. 나는 도전자였고 언더독(underdog)이었다. 부와 명성이 부족한 나는 마음만이라도 충만하게 먹어야만 했다. 그렇다. 중요한 것은 굴하지 않는 마음이다.

시인 함민복은 "모든 경계에는 꽃이 핀다"고 말했다. 실리콘밸리 중심과 주변의 경계에 서서 나는 나만의 이야기와 내러티브를 찾으려고 애썼다. 안이한 감동에 빠져 누구나 할 수 있는 말을 반복하는 것은 지면낭비이자 직무유기다. 결국 한 사람의 삶은 자신의 말과 주장에 대한 행위 근거를 쌓아가는 과정으로 요약될 것이다. 많은 이가 새의 눈(bird's eye)으로 실리콘밸리를 바라볼 때 나는 벌레의 눈(worm's eye)을 탑재해야겠다고 결심했다. 실리콘밸리가 내세우는 압도적 수치와 거대한 서사에서 살아남기 위해서는 진솔한 이야기와 미시적 내러티브가 필수적이라고 봤기 때문이다. 다행히 나의 주장을 뒷받침하는 책을 발견했다. 경제지 '파이낸셜 타임스'의 편집국장인 질리언 테트가 쓴 <알고 있다는 착각>이다. '비즈니스와 삶을 바라보는 새로운 방식'이라는 부제가 붙은 이 책의 영문판 원제는 <인류학 시야(Anthro-Vision)>다.

질리언 테트는 책에서 "딱딱한 경제모형과 같은 20세기의 도구만으로 21세기를 탐색하는 것은 한밤중에 나침반의 눈금만 읽으면서 어두운 숲을 지나가는 격이다"고 단언한다. 또한 "나침반의 눈금만 읽다가는 나무에 부딪힐 수 있으므로 터널 시야는 치명적이다"며 "주변을 둘러보기 위해서는 인류학 시야가 필요하다"고 덧붙인다. 테트는 인류학 시야를 기르는 방법을 크게 두 가지로 제시한다. 첫째는 '낯선 것을 낯익게 만들기'고 둘째는 '낯익은 것을 낯설게 만들기'다. 나는 테트가 제시한 방법을 나의 이국생활에 적용하면서 책을 읽어나갔다. 첫 번째 국외근무지인 이란에서는 모든 게 낯설었다. 나는 일하는 틈틈이 페르시아어를 배웠고 현지 대학교를 다니면서 이란학을 공부했다. 언어와 문화로 대변되는 낯선 것을 낯익게 만드는 과정이었다. 5년이 걸렸다. 미국은 어떨까. 강원도 출신이지만 사실상 대단히 서구화된 세계에서 40년 동안 자라온 내게 미국은 낯익은 곳이었다. 영어는 적어도 페르시아어보다 열 배는 편했고 지천에 널린 게 맥도날드와 스타벅스와 코카콜라였다. 지난 3년 간의 미국생활은 낯익은 것을 낯설게 만들기 위한 내면의 투쟁과도 다름없었다. 매일 실패하는 나는 여전히 도전자이자 언더독의 입장이다. 함민복 시인의 '모든 경계에는 꽃이 핀다'는 말을 다시금 되새긴다.

책의 마지막 부분에서 질리언 테트는 인류학 시야를 바탕으로 "사회적 침묵에 귀를 기울이자(Listen to Social Silence)"고 제안한다. 나는 테트의 아이디어를 상대적으로 소외된 분야에 마음을 쏟자는 뜻으로 받아들이고 나의 실리콘밸리 생활에 응용했다. 실리콘밸리에서 근무하며 나만의 해답을 꼭 찾고 싶은 과제는 '무엇이 탁월한 창업가들을 탁월하게 만들었는가'다. 탐구기간은 삶 전체가 되어야 하므로 현역에서 물러났거나 현재 존재하지 않는 인물들을 대상으로 한정한다. 내게 가장 흥미로운 기업가를 세 명만 꼽자면 애플의 스티브 잡스, 아마존의 제프 베이조스, 나이키의 필 나이트다. 이들 중 아무도 나를 직접 만나주지는 않았다. 하지만 그들이 남긴 말과 글을 통해 무엇이 그들을 탁월하게 만들었는지 충분히 유추할 수 있었다. 내가 찾은 공통점은 하나다. 마음이다.

스티브 잡스는 선심(禪心, Zen's Mind)에 천착했다. 잡스는 특유의 열정으로 평생 선에서 강조하는 직관적 통찰을 수련했다. 잡스가 죽었을 때 장례식에 참석한 사람들에게는 구도자 요가난다의 <어느 수행자의 자서전>이 배포됐다. 일생을 선의 마음에 심취해서 살았던 잡스 자신의 뜻에 따른 것이다. 잡스가 선심이라면 제프 베이조스는 초심(初心, Beginner's Mind)이다. 베이조스의 철학은 '첫날' 정신으로 널리 알려져있다. 베이조스는 "둘째날은 정체됨, 무관함, 극심한 쇠퇴로 결국 남은 것은 죽음 뿐이다"며 "따라서 항상 첫날이어야 한다"고 말했다. 필 나이트는 나아가 선심과 초심을 동시에 이야기한다. 나이트가 쓴 자서전 <슈독>의 첫 문장은 스즈키 순류의 '선심초심'을 인용하며 초심자의 마음을 강조한다. 이처럼 실리콘밸리에는 마음이 있다. 중요한 것은 굴하지 않는 마음이다. 살면 살수록 마음과 태도와 자세가 전부라는 생각이 굳어진다.

Ⅰ. 걸어서 마음 속으로

제1화 혁신의 중심에서 혁명을

구글 본사가 있는 마운틴뷰(Mountain View)도, 애플 캠퍼스가 있는 쿠퍼티노(Cupertino)도 아니었다. 근무지인 실리콘밸리에 도착해서 짬이 나자마자 바삐 찾아간 곳은 샌프란시스코 콜럼버스 거리에 위치한 2층짜리 서점 '시티라이츠(City Lights)'였다. 1953년 문을 연 이 독립출판 서점은 수십 년간 새로운 세계를 꿈꾼 젊은이들의 문화적 해방구가 되었다. 거대사회의 부속품으로 전락하기를 거부한 50년대 미국 저항세대의 성지답게 서점 한켠은 비트(Beat) 문학 책으로 가득했다. 시 '올부짖음(Howl)'을 통해 획일화되는 세상에 맞선 시인 앨런 긴즈버그는 여전히 방문객들에게 아우

성치고 있었다. 실험적 소설 '길 위에서(On the Road)'를 발표하며 미국 문학의 새로운 지평을 연 소설가 잭 케루악은 낯선 이들과의 만남을 아직도 멈추지 않고 있었다.

실리콘밸리에 왔는데 왜 작은 독립서점부터 찾아갔을까? 단초는 스티브 잡스의 한마디였다. 잡스는 2005년 스탠퍼드 대학 졸업식에 참석해 "늘 배고프게, 늘 우직하게 갈망하라(Stay Hungry, Stay Foolish)"며 축사를 마무리한다. 사실 잡스가 처음 한 말은 아니었다. 그는 이 표현이 자신이 즐겨본 6-70년대 반문화(counterculture) 세대의 교본 <홀어스 카탈로그(Whole Earth Catalog)>의 슬로건임을 연설에서 명확히 밝힌다.

잡스가 죽고 발간된 전기를 보면 그는 뼛속까지 반문화주의자, 즉 히피(hippie)였다. 그가 선택한 오리건 주 포틀랜드에 있는 리드(Reed) 대학교는 자유로운 정신과 히피 생활방식으로 유명했다. 대학 시절 잡스는 영성과 깨달음에 심취했다. 동양사상과 선(禪)불교에 대한 잡스의 관심은 젊은 시절의 객기나 잠시 스쳐가는 흥미가 아니었다. 잡스는 특유의 열정으로 불교에서 강조하는 직관적 통찰을 받아들였고 이는 그의 인생 전체를 관통하는 본질이 되었다. 잡스의 리드대학 친구이자 초창기 애플 엔지니어인 대니얼 콧키(Daniel Kottke)는 그를 이렇게 정의했다. "잡스는 선에 심취한 사람입니다. 그의 모든 접근방식은 온전한 미니멀리즘

미학과 강렬한 집중에서 비롯되는데, 이는 모두 선에서 얻은 겁니다."

새로운 세상을 실험하기 위해 많은 히피들이 자연에서 공동체를 만들었지만 일부는 테크놀로지에서 미래를 보았다. 어린 시절부터 샌프란시스코만을 둘러싼 U자형 '베이(Bay) 지역', 다시 말해 실리콘밸리에서 성장한 잡스의 내면에도 그의 출신지가 말해주듯이 전자공학 괴짜 기질이 다분히 자리하고 있었다.

1960년대 말 샌프란시스코와 베이 지역에는 다양한 문화적 흐름이 함께 존재했다. 우선 냉전 시대 방위산업이 날로 성장하며 최첨단 기술이 발전을 거듭하고 있었다. 기술 진보에 따라 전자회사, 마이크로칩 제조사, 비디오게임 개발사, 컴퓨터 회사들이 속속 생겨났고 컴퓨터광(狂)을 중심으로 하는 하위문화도 꽃을 피웠다. 또한 비트 세대를 주축으로 일어난 히피 운동, 버클리 대학교의 언론 자유 운동을 발판 삼은 정치적 저항 움직임이 괄목할 만한 물줄기를 형성했다. 이런 사회적 분위기 속에서 개인적 깨달음과 자유에 이르는 길을 추구하는 시도도 차츰 확대되었다. 선불교와 힌두교, 명상과 요가, 감각 차단을 통한 깨달음 얻기, 인간 잠재력 계발 운동 등이 대표적인 사례다.

초기에 기술광과 히피들은 서로 조화를 이루지 못했다. 반문화 운동을 하는 사람들은 컴퓨터를 인간성 말살을 조장

하는 불길한 기계이자 권력자들이 남용할 도구로 받아들였다. 하지만 1970년대로 접어들면서 분위기가 변하기 시작했다. 뉴욕타임스 과학 선임기자인 존 마르코프(John Markoff)는 "과거 권력자들의 중앙화된 통제 도구로 취급된 컴퓨터가 점차 개인의 표현과 자유를 상징하는 것으로 인식이 바뀌고 있었다"고 평가했다.

반문화 히피족과 컴퓨터광이 조화를 이루도록 기여한 가장 중요한 인물은 앞서 말한 <홀어스 카탈로그>의 창시자인 스튜어트 브랜드(Stewart Brand)다. <홀어스 카탈로그> 표지에는 우주에서 본 지구 사진을 담았는데 '도구로 향하는 통로(access to tools)'라는 부제가 붙어있다. 브랜드가 만든 간행물의 기본철학은 기술이 인간의 친구가 될 수 있다는 신념이었다. <홀어스 카탈로그>의 대표적인 열성팬이 바로 스티브 잡스다. 특히 스탠퍼드 대학 졸업연설에서 인용한 "Stay Hungry, Stay Foolish" 문구가 적힌 최종판에 완전히 매료되었다. 대학생활을 할 때와 사과농장에서 지낼 때도 책자를 곁에 둘 정도였다. 훗날 브랜드는 <홀어스 카탈로그>가 지향한 문화적 융합을 가장 잘 구현한 인물로 잡스를 꼽았다.

이처럼 1950년대 저항운동의 중심이자 1960~70년대 반문화 조류를 이끈 공간인 '베이 지역'이 혁신의 아이콘 '실리콘밸리'로 우뚝 선 것은 우연이 아니다. 기부, 자선, 환경

문제 등 사회운동에 앞장서는 록밴드 유투(U2)의 리더 보노(Bono)는 반문화에 대해 이렇게 평가했다. "록음악과 반항정신에 바탕을 둔 반문화 세대가 퍼스널컴퓨터(PC) 산업이 태동하는 데 크게 기여했습니다. 21세기를 창조한 사람들은 결국 미국 서부 해안 지역의 히피들이었습니다. 왜냐면 그들은 다르게 사고할 줄 알았으니까요. 색다른 사고방식은 그간 존재하지 않던 새로운 세상을 상상할 수 있는 밑바탕이 됐습니다. 미국 동부나 영국, 독일, 일본의 기존 전통 세대들은 그런 종류의 사고를 장려하지 않습니다."

샌프란시스코와 실리콘밸리에는 오랜 세월 새로운 세계를 꿈꾼 청년들의 강한 열망이 축적돼 있다. 잡스는 젊은 시절, 마음이 맞는 구도자들과 함께 사과농장 공동체에서 머물곤 했다. 그는 동양 종교에 심취한 다른 거주자와 사과나무 가지치기 작업을 관리하는 일을 맡았으며 오랜 시간 과일만 먹는 식단을 실험했다. 이때의 경험은 그가 회사 이름을 '애플 컴퓨터'로 짓는데 결정적으로 작용한다. '애플'과 '컴퓨터'라는 이질적인 단어의 조합에서부터 자신들의 정체성을 혁명적으로 드러냈다.

1997년 애플의 '다르게 생각하라(Think Different)' 광고는 이를 보다 직접적으로 설파하고 있다. 이 광고는 애플 컴퓨터의 기능과 장점을 전혀 강조하지 않는 대신 창의적인 사람이 컴퓨터를 이용해 성취할 수 있는 진보가 무엇인지 느낄 수 있도록 만들어졌다. 다르게 생각할 줄 아는 세상의 모든 미친 사람들을 향한 응원의 메시지나 다름없다. 광고 문구처럼 그들은 흔히 '부적응자, 반항아, 사고뭉치, 네모난 구멍에 박힌 둥근 말뚝같은 사람, 세상을 다르게 바라보는 이'로 비춰진다. 하지만 혁신은 문자 그대로 묵은 풍속, 관습, 조직, 방법을 완전히 바꿔서 새롭게 하려는 시도에서 시작된다. 세상을 바꿀 수 있다고 생각한 엉뚱하고 허무맹랑한 사람들이 혁신의 중심에서 기술 혁명의 주인공으로 우뚝 섰다.

우리나라에서도 오랫동안 한국의 실리콘밸리 담론이 반복됐다. 한때는 대전 대덕이 떠올랐고, 다른 한때는 강남 테헤란로가 유망했으며, 근래에는 성남 판교가 각광받고 있다. 실리콘밸리의 탄생에는 여러 요인이 있겠지만 지금까지 살펴본 사회·문화·정신적 토대가 뒷받침되지 않았다면 혁신 중심지의 생명력은 길지 못했을 것이다. 청출어람이라고 했던가. 제2의 실리콘밸리가 되겠다는 계획도 야심차지만 한국 특유의 기업가정신을 대표하는 제1의 혁신요람을 목표한다면 우리의 도전은 보다 항구적일 수 있다. 잡스 뿐 아니라 많은 실리콘밸리 기업가들이 여전히 선불교와 도교 등 동양사상에 심취해 있다는 사실은 우리에게 많은 시사점을 던져준다. 어쩌면 우리가 이미 내재화하고 있는 정신·문화적 배경에 혁신의 실마리가 있을지도 모를 일이다. 출발점은 현재에 안주하지(status quo) 않고 새로운 세상을 꿈꾸는 자세다.

실리콘밸리에 도착하고 '시티라이츠' 서점에서 치른 나만의 신고식은 가볍지 않은 마음으로 끝났다. 서점 문을 나서는데 커다란 숙제가 주어진 느낌이었다. '안주하지 않으려는 혁신가들의 자세는 무엇에서 비롯되는가?' 오랜 시간 답을 구해야 할 과제였다. 혼란을 가라앉히기 위해 샌프란시스코 도심을 정처 없이 걷기 시작했다. 방황하다가 들어선 차이나타운의 골목길 이름은 잭 케루악(Jack Kerouak)이었다. 어쩌면 그의 소설처럼 영원히 '길 위에서(On the road)' 답을 찾아야 하는 것인지도 모르겠다. 안주하지 않으려는 이가 길을 나서고, 길을 나선 이는 결코 안주할 수 없는 법이니까.

샌프란시스코에서 베이 지역 광역철도(BART)를 타고 돌아온 세계 혁신의 중심지는 예상과 달리 너무도 평온한 모습이었다. 호수 위의 오리는 평화로워 보이지만 물밑에서는 아주 치열하게 발을 움직이고 있다고 했던가. 눈에 보이는 풍경이 진실이 아니듯 평온함의 이면에는 분명 혁신가들의 바쁜 발놀림이 존재하고 있을 터였다. 앞으로 현상과 본질의 간극을 어떻게 좁혀나갈 것인가. 실리콘밸리에서 근무를 시작한 새내기인 나는 아직 갈 길이 멀었다.

제2화 실리콘밸리, 어디까지 가봤니

"너 요즘 어디에 사니?" 질문을 받을 때마다 난감하다. 거주하는 곳은 미국 서부 캘리포니아의 작은 도시 샌타클래라(Santa Clara)다. 샌타클래라의 인지도가 낮다보니 편의상 실리콘밸리라고 얼버무릴 때가 많다. 틀린 대답이라고 할 수 없지만 세계 기술혁신의 중심, '실리콘밸리'는 분명 행정구역이 아니다. 실리콘밸리라는 이름의 기원은 수십년 전 샌타클래라 구릉지대(Valley)를 중심으로 모여든 반도체 회사로 거슬로 올라간다.

1970년 1월 11일, 저널리스트 돈 호플러(Don Hoefler)는 샌프란시스코만을 둘러싼 지역에서 급성장 중인 미국 반도체산업을 다루는 시리즈 기사를 쓴다. 전자뉴스(Electronic News) 1면에 실린 기사 제목은 '미합중국 실리콘밸리 (Silicon Valley, U.S.A.)'였다. 호플러는 샌타클래라 밸리에 자리잡은 반도체 회사들을 가리키는 별칭으로 반도체를 만드는 물질 '규소(Silicon)'를 재치있게 갖다 붙였다.

50년이 지난 지금 실리콘밸리는 혁신, 기술, 창업의 세계 중심으로 우뚝 섰다. 호플러는 1986년에 사망했다. 실리콘밸리의 저작권을 보유한 셈인 그는 실리콘밸리라는 이름이 갖는 파급력을 제대로 확인하지 못한 채 눈을 감았다. 지금 호플러가 하늘에서 샌타클래라 밸리를 내려다 본다면 어떤 느낌이 들까?

세상을 바꾸려는 온갖 괴짜들이 모여있다는 실리콘밸리에서 생활한 지 1년이 지났다. 365일 전, 샌프란시스코 공항에 내려 미국 땅을 처음 밟을 때가 생각난다. 우리나라와 외국을 번갈아 가면서 근무해야 하는 업무 특성상 세계 곳곳을 많이 다녔다고 자부하지만 이상하게 미국에는 올 기회가 없었다.

미국과 각을 세우는 이란에서 오랜 기간 거주한 탓에 초강대국에 대한 거부감이 자리하고 있었는지도 모를 일이다. 이왕 미국에서 생활하기로 결심했으면 세계의 미래를 이끄는 지역에서 숨쉬고 싶었다. 무엇이 실리콘밸리를 혁신의 중심으로 만드는지, 창업가가 꿈꾸는 진보는 무엇인지, 안주하지 않는 기업가 정신은 어디에서 비롯되는지 엿보고 싶었다.

실리콘밸리는 이과생들의 천국이다. 거칠게 말하자면 대한민국에 살면서 거친 여러 준거집단의 중심은 분명 문과였다. 한국에서 사회학을 전공하고 이란에서 이란학을 공부한 사람이 실리콘밸리에서 설 자리는 좁았다. 엔지니어가 중심인 세상에서 말과 글과 경험으로 먹고 살아가는 삶은 변변치 않아 보였다.

위축됐던 게 사실이다. 문과생의 관념 속에서 살아왔던 것은 아닌가 성찰하는 시간이 계속됐다. 하릴없이 시간이 흘러가면서 새로운 돌파구가 필요했다. 주어진 공간인 실리콘밸리에서 맘놓고 누빌 무대가 절실했다. 집과 사무실에 갇혀 있기보다는 밖에 나가서 현장을 봐야겠다고 생각했다.

문과생의 관념에 빠져서 실리콘밸리가 이렇다, 저렇다 말할 때마다 부끄러움이 앞섰다. '나는 과연 실리콘밸리를 알고 있는가?' 자문할 때마다 떳떳하지 못했다. 우선 실리콘밸리가 어디서부터 어디까지인지를 파악하는 일부터 시작해야 했다. 실리콘밸리에 대한 여러 지리적 정의가 있지만 좁게 보면 샌프란시스코만을 둘러싼 지역을 가리킨다. 현지인들은 주로 베이에어리어(Bay Area)로 부른다.

100마일, 약 160킬로미터에 달하는 베이에어리어를 일주일 동안 걸어보기로 결심했다. 베이에어리어를 걸으며 실리콘밸리를 관념이 아닌 현장으로 받아들이겠다고 다짐했다. 차를 타고 가거나 자전거로 돌 수도 있겠지만 가장 원시적인 방법을 택했다. 그만큼 실리콘밸리가 몸과 마음에 깊이 각인될 테니까 말이다.

2022년 1월 18일, 무거운 몸을 이끌고 집을 나섰다. 감당할 듯 감당하지 못할 듯한 아리송한 무게의 배낭 지퍼를 닫는다. 새로운 세상으로 발을 내디딜 시간이다. 미국 여성작가 리베카 솔닛의 작품 <방랑벽(Wanderlust)>은 작가 자신이 샌프란시스코만을 걷는 내용으로 시작한다. 출판사는 이 책을 홍보하며 "가장 철학적이고 예술적이고 혁명적인 인간의 행위에 대하여"라는 부제를 붙였다.

언뜻 너무 거창하게 들린다. 하지만 돈을 한 푼도 들이지 않고 할 수 있는 시도 중 가장 철학적이고 예술적이고 혁명적인 인간의 행위는 걷기라는 데 동의한다. <걸어서 실리콘밸리> 프로젝트에서도 가능한 한 화폐를 덜 쓰기로 계획했다. 소비가 미덕인 나라에서 절약은 어떤 의미가 있을까? 길에서 실험해보고 싶었다.

자본주의를 상징하는 미국에서 걷기는 분명 혁명적 행위다. 세계 최초로 자동차를 대량생산한 인물, 헨리 포드의 나라에서 자동차 없이 생활하기는 사실상 불가능하다. 한정된 미국생활을 시작하면서 차를 사지 않고 살아볼까 생각했지만 어지간한 의지로는 가당치도 않았다.

광활한 대륙답게 미국에는 다양한 담론이 존재한다. <당신의 차와 이혼하라(Divorce your car)>의 저자 케이티 앨버드는 미국에서 자동차 없이 사는 생활을 1992년부터 시작했다. 그는 '미국=자동차'라는 등식을 깨기 위한 노력을 일찍이 시도했다. 책장을 덮으며 관념에 빠져 미국은 이렇다, 저렇다 결론내지 않기로 결심했다. 미국에 대한 시각은 철저히 삶과 경험에 기반해야 한다고 생각했다. 그렇게 1년이 흘렀고 마침내 실리콘밸리를 걸어서 일주할 용기를 냈다.

실리콘밸리를 걷기 시작하자마자 세계 굴지의 반도체 회사들이 나타난다. 메모리 반도체 생산기업 마이크론(Micron), 시스템 반도체기업 엔엑스피(NXP) 건물을 차례로 마주했다. 한국처럼 초고층 빌딩이 밀집한 지역이 아니라 널찍한 평지에 덩그러니 놓인 글로벌 기업의 건물이 인상적이었다.

무엇보다 눈길을 사로잡은 풍경은 샌프란시스코만 둘레길(Bay Trail)을 타면서 맞닥뜨린 아마존 물류창고였다. 아마존에서 처음 물건을 샀던 때를 2007년으로 기억한다. 미국에 와서 당시 무엇을 샀는지 확인하고 싶어 로그인을 시도해보지만 그때 가입한 이메일 계정은 사라졌다. 지푸라기라도 잡는 심정으로 아마존닷컴에 전화를 했다. "지금 내 사정이 이러이러한데, 구매목록이 남아 있을까?" 상담원이 의 아한 반응을 보인다. "아마존닷컴 맞아? 아니면 해당 국가에 있는 아마존에서 확인해야 돼."

아마존 영국 고객센터를 통해 어렵사리 받은 메일에는 구매정보 4건이 들어있었다. 2007년 사전을 두 권 샀고, 어학교재를 한 권 샀으며, 나머지 하나는 스페인 산티아고 순례길 가이드북이었다. 이후 졸업을 앞두고 취직 준비를 하느라 정신이 없었다. 기억 속에서 아마존은 여전히 인터넷서점으로 남아 있었다.

이후 직장생활을 하면서도 어쩐지 아마존에서 뭔가를 살 기회가 없었다. 아마존이 킨들(Kindle)을 출시하며 전자책 시장을 만들 때 잠깐 귀가 번쩍 뜨였지만 한국어 사용자로서 선택은 결국 크레마(Crema)였다. 인터넷서점으로나마 존재하던 아마존과는 이후 어떤 인연도 맺지 못했다.

15년이 지나 실리콘밸리를 걷다가 아마존 배송창고를 마주쳤다. '구글하다'가 검색하다를 의미하는 것처럼 '아마존하다'가 '구매하다'를 뜻하는 날이 머지않아 보인다. 대형 물류창고를 보면서 무엇이 지금의 아마존을 만들었는지 궁금해졌다. 가장 쉬운 방법은 창업자의 철학을 훔쳐보는 것이다.

제프 베이조스의 책 <발명과 방황(Invent & Wander)>에서 그는 '데이원(Day 1)' 정신을 반복적으로 강조한다. 20

여년 전, 닷컴버블 때 아마존은 거품이 아니냐는 커다란 비판에 직면했다. 베이조스는 "우리는 매일 인터넷 시대의 첫날에 살고 있다"고 담담하게 답변한다. 승자가 역사를 쓰는 것처럼 아마존이 시장에서 승리했기에 그의 '첫날' 정신이 빛을 발하는 것일지도 모른다. 결과를 놓고 돌이켜보면 베이조스는 다른 기업가보다 크고 분명한 확신이 있었다.

2003년 3월, 미국 서부 몬테레이에서 TED 콘퍼런스가 열렸다. 몬테레이는 샌타클래라에서 차로 1시간이면 가는 가까운 곳이다. 여기서 베이조스는 "전기를 불빛을 내는 용도 이상으로 사용하세요"라는 100년 전 시어스(Sears) 백화점 광고문구를 인용하면서 "우리는 그야말로 인터넷 시대의 초창기에 살고 있다"는 말로 강연을 마무리한다.

베이조스의 '데이원' 철학을 접하고 걷는 내내 고사성어 '일신우일신'이 떠올랐다. "나날이 새롭게 하고 또 새롭게 하라"는 의미가 아마존의 '첫날' 정신과 맞닿아 있다고 생각했다. 학교 다니며 배운 내용이지만 누군가에게는 진부한 상식이 되었고 누군가에게는 시대의 흐름을 내다본 기업가 정신이 되었다. 늦었지만 어찌 하랴. 오늘이 여생의 첫날이라는 다짐으로 지금, 여기에서 마음가짐을 새롭게 할 뿐이다.

첫날 정신을 실현하기 위해 반드시 창업을 하고 기업가의 길을 걸어야 하는 것은 아닐 테다. 언제 어디서든 자신에게 주어진 시공간을 새롭게 인식한다면 자기혁명을 거듭할 수 있다. 먼 길을 걸어온 뒤, 실리콘밸리는 자신만의 방식으로 세상을 바꾸려는 이들을 포괄하는 '경계선 없는 세계'라는 확신이 생겼다.

제3화 헝그리정신의 재해석

"여기까지가 밀피타스입니다(Leaving the City of Milpitas)." 코요테 크릭 트레일을 따라 부지런히 북쪽으로 걸었더니 어느새 도시와 도시의 경계에 다다랐다. 이제 몇 걸음만 옮기면 행정구역 상 프리몬트다. 프리몬트 대로 (Boulevard)를 따라 테슬라 공장까지 가려다가 아쉬운 마음에 한참을 서성인다. <걸어서 실리콘밸리> 프로젝트를 시작하면서 여건이 닿는 한 자연친화적인 길을 걷기로 마음먹었다. 시간이 조금 더 걸리겠지만 코요테 냇물을 따라서 둘러가기로 결정한다.

신선한 공기를 기대하며 발걸음을 뗀 지 5분도 되지 않아 매캐한 냄새가 코를 찔렀다. 예상치 못하게도 샌프란시스코만(Bay)에서 거대한 쓰레기 매립지와 재활용 센터를 마주했다. 사람 키보다도 큰 압축 폐기물의 위용은 순식간에 도보 순례자를 압도했다. 사람의 발길이 닿지 않는 곳에서 기계를 이용한 작업이 일사분란하게 진행됐다. 전깃줄에 줄지어 앉은 새들은 이미 익숙하다는 듯 태연하게 장면을 구경하고 있었다. 나는 못볼 풍경이라도 본 것처럼 서둘러 현장을 빠져나왔다. 보도가 없는 곳에서 트럭의 행렬을 피하려니 절로 신경이 곤두섰다.

실리콘밸리와 쓰레기 매립지는 썩 어울리는 조합이 아니지만 샌타클래라 카운티에만 23개의 '슈퍼펀드(Superfund)' 지역이 있다. 언뜻 진취적 느낌의 벤처캐피털이 연상되는 '슈퍼펀드'는 사실 정반대를 의미한다. 슈퍼펀드 프로그램은 미국 환경청(EPA)이 유해폐기물 오염지역을 지정해 복구하는 연방정부의 대표적 환경정화 사업이다. 다시 말해 슈퍼펀드는 유해폐기물에 의해 오염된 곳으로 공식 인증된 지역을 가리킨다. 카운티 기준으로 미국에서 가장 많은 슈퍼펀드를 보유한 곳이 바로 샌타클래라다. 반도체 산업의 부흥으로 샌타클래라 밸리는 실리콘밸리로 우뚝 섰지만 동시에 미국에서 가장 오염된(contaminated) 지역이 되었다.

샌프란시스코만을 따라가다 마주친 쓰레기 매립지와 재활

용센터는 걷는 내내 생각할 거리를 던져줬다. 저 쓰레기더미에 내가 먹은 과자봉지와 내가 마신 음료수컵과 내가 사용한 커피빨대가 있을지도 모른다는 사실에 마음이 무거워졌다. 테크놀로지의 발달로 언젠가는 완벽한 재생과 순환 시스템이 구축될 수도 있을 것이다. 그게 기술로 새로운 세상을 꿈꾸는 실리콘밸리의 정신일지도 모른다. 하지만 1인분 인생을 사는 개체로서 감히 자문해본다. 지금 나는 필요 이상의 소비를 하고 있는 것은 아닌가? 소비가 미덕인 사회에서 절약은 어떤 의미가 있을까?

현존하는 대표 혁신가 일론 머스크는 기업을 세우기 전 '1달러 프로젝트'를 가동했다. 창업을 앞두고 만약 실패했을 때 얼마나 버틸 수 있을지 실험한 것이다. 일론 머스크는 슈퍼마켓에서 30달러를 내고 산 핫도그와 오렌지로 한 달을 버텼다. 하루 1달러로 살면서 욕구를 통제해 나가는 자신만의 실험에 성공하고 창업을 결심했다. 비즈니스가 뜻대로 되지 않아도 한 달에 30달러로 살아남을 수 있다는 확신을 얻었다. 친환경 에너지와 우주개발로 지구를 구원하겠다는 원대한 비전을 가진 젊은이에게 돈은 꿈을 달성하는 수단이지 목적이 아니었다.

아직까지도 기술과 정신의 융합을 가장 잘 구현한 인물로 평가받는 스티브 잡스도 마찬가지다. 2005년 스탠퍼드 대학교 졸업식에서 그가 인용해 널리 알려진 슬로건 "늘 배고프게, 늘 우직하게(Stay Hungry, Stay Foolish)"에서 배고픔은 은유가 아니다. 1991년, 잡스는 자신이 중퇴한 리드대학 명예 학위수여식에서 이미 '항상 배고플 것(Being hungry all the time)'을 촉구했다. 성공한 기업가가 되고도 자신의 철학에 따라 과일만 먹는 식단을 죽을 때까지 실험했다. 사망을 앞둔 잡스는 이윤이 아니라 위대한 제품이 최고의 동기 부여였다고 말했다.

잡스처럼 세상을 바꾸거나 머스크처럼 지구를 구할 도리가 없는 나는 무엇을 어떻게 해야 할까? 지금부터라도 덜먹고 덜 쓰는 삶을 시작해야겠다. 어쩌면 배고픔이란 부와 명예를 얻기 위해 견뎌야 할 과정이 아니라 더 나은 세계를 위해 일생 동안 추구해야 할 가치일지도 모르겠다.

제4화 더 단순하게, 더 정교하게

꼭 맥도날드여야 했다. 실리콘밸리를 걸어서 일주하겠다고 당차게 문을 나섰지만 3시간이 지나지 않아 나는 쉴 곳을 찾아 헤맸다. 발걸음이 눈에 띄게 느려졌고 어깨는 빠질 듯이 무거웠다. 아침을 거른 탓에 허기가 졌고 따뜻한 커피 한 잔이 절실했다. '조금만 버티자. 경험상 프리몬트 대로를 쭉 따라 올라가면 맥도날드가 나온다.' 1달러짜리 프리미엄 로스트 커피를 떠올리며 다리에 힘을 불어넣었다. <걸어서 실리콘밸리> 프로젝트의 첫 끼니는 맥도날드에서 해결하고 싶었다.

왜 꼭 맥도날드여야 했을까? 나는 내 인생의 절반을 맥도날드가 없는 곳에서 살아왔다. 대학에 입학하기 위해 서울로 가기 전까지 고향에는 맥도날드가 없었다. 강원도 시골내기에게 롯데리아는 햄버거 가게였지만 맥도날드는 찬란한 세계화의 상징이었다. 대학교 논술시험에도 조지 리처의 <맥도날드 그리고 맥도날드화>가 지문으로 나왔다. 나는 대학에 입학하기 위해 맥도날드식 효율성을 비판하는 의견을 제시했지만 대학에 입학하고 나서는 한풀이하듯 열심히 빅맥을 사먹었다.

대학을 졸업하고 돈을 벌게 되면서 내 의식과 입맛도 맥도날드에서 해방되는 것처럼 보였다. 며칠에 한 번씩 햄버거가 생각날 때면 빅맥이 아닌 수제버거를 사먹었다. 이쑤시개 꽂힌 햄버거가 정성스레 접시에 담겨나온 모습을 봤을 때, 새삼 나는 자각했다. '내가 돈을 벌고 있구나!' 하지만 감상의 여운은 오래 가지 못했다. 얼마 지나지 않아 나는 첫 번째 해외근무를 시작했다. 목적지는 긴 시간동안 미국과 대립각을 세우고 있는 이란이었다. 5년 간 이란생활을 하면서 나는 틈날 때마다 맥도날드를 찾아 거리를 헤맸다. 결과는 실패였다. 경제제재를 받는 이란에는 미국식 프랜차이즈가 없다는 사실을 받아들이는 데 60개월이 걸렸다.

맥도날드가 없는 곳에서 오랜 세월을 보냇 탓에 맥도날드는 내게 양가적 대상이 되었다. 머리로는 피하고 싶지만 몸의 이끌림마저 제어할 방도는 없다. 미국에 와서도 제일 먼저 찾아간 햄버거 가게는 맥도날드였다. 캘리포니아를 대표하는 인앤아웃도 있고 오바마 대통령이 좋아한다는 파이브가이즈도 있지만 내키지 않았다. 맥도날드에서 우걱우걱 빅맥을 씹으면서 비로소 내가 미국에 도착했다고 느꼈다. 미국생활 1년, 무엇이 지금의 맥도날드를 만들었는지 알고 싶었다. <걸어서 실리콘밸리> 프로젝트를 시작하기 직전, 맥도날드가 처음 문을 열었다는 샌버나디노(San Bernardino)를 찾았다.

샌버나디노의 맥도날드 박물관은 초창기 맥도날드의 역사를 잘 간직하고 있었다. 1940년 맥도날드 형제는 드라이브인 형태로 운영되는 햄버거 식당을 차린다. 햄버거의 맛은 좋았지만 전체 메뉴가 27가지나 되었다. 맥도날드 형제는 곧 한계에 부딪힌다. 난관을 뚫고자 매출흐름을 분석하던 동생 딕 맥도날드가 중요한 한 가지 사실을 발견한다. 전체 매출의 87%가 햄버거, 감자튀김, 탄산음료에서 나오고 있었던 것이다. 이때부터 맥도날드 형제는 사업모델을 거침없이 단순화한다. 가격도 햄버거는 15센트, 감자튀김은 10센트로 통일했다. 30분 걸리던 음식이 30초 만에 나왔다. '스피디(Speedee)' 시스템의 탄생이었다.

80년 전 맥도날드 창업자의 이야기가 구시대적으로 들릴지 모르겠다. 시간을 40여년씩 앞으로 넘겨보자. 1977년,

애플의 슬로건은 '단순함이 궁극의 정교함(Simlicity is the ultimate sophistication)'이었다. 스티브 잡스는 일생 동안 단순한 디자인이 제품을 쉽게 사용하도록 만든다고 믿었다. 2020년, 테슬라는 프리몬트 공장에서 모델Y를 생산하며 '기가프레스(Giga Press)' 기술을 선보였다. 알루미늄을 녹인 액체를 틀에 부어 통째로 주조하는 방식이다. 일론 머스크는 금속판 80개를 용접하던 과정을 하나의 주조품으로 단순화했다.

프리몬트의 맥도날드에서 나는 나부터 단순화해야겠다고 생각했다. 배낭을 열어서 소지품을 하나씩 확인했다. 일주일 여정을 소화하기에 필요없는 물건이 너무 많았다. 그래도 멀쩡한 제품을 놓고 가려니 속이 쓰렸다. 무거운 어깨의 짐을 덜면서 나는 내 존재가 한층 정교해지고 있다고 믿는 수밖에 없었다.

제5화 의미를 만드는 동물

월요일 오전 5시 45분, 북(北)새너제이 1번가의 스타벅스 리버오크스점에서 블랙커피를 마시며 글을 쓴다. 마감에 쫓기면서 씽크패드(ThinkPad)의 자판을 분주히 두들긴다. 출근 전까지 2,000자 분량의 원고를 마무리해야 한다. 남은 시간은 120분 남짓, 과연 해낼 수 있을까?

미국 근무를 시작하고 아침을 시작하는 의식(ritual)을 만들기 위해 애썼다. 실리콘밸리 생활 1년 반이 다 되어가면서 어느 정도 틀을 잡았다고 자평한다. 초저녁 잠이 많은 나는 9시만 되면 졸리다. 여가를 보내기에 안성맞춤인 캘리포니아에 살지만 저녁에 뭔가 의미있는 활동을 하는 것은 내게 불가능에 가깝다. 대신 일찍 잠에 빠지는 만큼 빨리 눈을 뜬다. 기상시각은 새벽 5시 남짓이다. 하루의 3분의 1을 잠으로 보내는 것은 낭비 아니냐고 반문할 수 있겠지만 온전한 정신으로 남은 3분의 2를 아껴쓰기 위한 밑받침이라고 답하겠다. 아마존의 창업자 제프 베이조스도 의사결정 과정에서 충분한 수면의 중요성을 강조했다.

5시에 눈을 뜨면 최대한 빨리 집 밖으로 나서기 위해 주섬주섬 옷부터 챙겨입는다. 검은색 트레이닝복 바지와 목이 늘어진 반팔 티셔츠, 샌프란시스코 자이언츠의 야구모자와 나이키 후드점퍼가 주로 입는 단골메뉴다. 곤히 잠에 빠진 아내와 아이들이 깰까 봐 제대로 씻지도 못한 채 노트북 컴퓨터와 텀블러만 챙겨 조심스레 대문을 연다. 과달루페(Guadelupe) 강둑을 따라 15분쯤 걸으면 스타벅스에 도착한다. 지점마다 문 여는 시간이 다르지만 내가 아침을 보내는 리버오크스 스타벅스의 개점시각은 5시 30분이다. 첫 손님인 나는 두 명의 바리스타에게 출근도장을 찍듯 눈인사를 한다.

드립커피 '파이크 플레이스'를 시키고 내가 만든 지정석에 앉는다. 이미 나의 루틴을 파악한 점원은 얼음물까지 한 잔 내어준다. 매일 아침, 쓰디쓴 커피를 옆에 둔 채 씽크패드를 펴고 워드프로세스의 창을 연다. '나는 어디에서 와서 어디로 가는가. 지금은 어디쯤에 있나.' 평생 답을 구하지 못할 거대한 질문을 마주하며 글쓰기를 존재의 수준기(水準器)로 삼는다. 다행히 내게는 함께 아침을 여는 동료들이 있다. 6시부터 스타벅스 제일 구석진 자리에서 애플 맥북을 켜고 코드를 짜는 엔지니어, 7시만 되면 항상 커다란 여행 가방을 끌고 나타나는 할아버지, 전자제품 장비회사의 빨간색 로고가 박힌 가운을 입고 야외 테라스에 앉아 아이스 커피를 마시는 연구원까지. 자신만의 루틴을 가진 사람을 만나면 언제나 반갑다. 나이가 들어도 강퍅함을 유지하고 싶은 사람으로서 동질감을 느낀다.

스타벅스를 세계적 기업으로 키운 인물은 '하워드 슐츠(Howard Schultz)'다. 슐츠가 창업자들에게 제시한 비전이 바로 '문화공간'이다. 스타벅스는 시애틀에서 시작했지만 베이에어리어에 있는 피츠(Peet's) 커피가 모델이 됐다. 제리 볼드윈, 지브 시글, 고든 보커까지 세 명의 창업자는 샌프란시스코 대학에 다니던 시절 즐기던 피츠 커피의 맛을 잊지 못했다. 대학 졸업 후 시애틀로 돌아간 그들은 피츠의 원두를 우편으로 받아 커피를 내려 마셨다. 공수해 오는 과정에서 커피 맛이 떨어지자 셋은 직접 원두를 파는 가게를 열자고 의기투합한다. 1971년, 스타벅스가 마침내 문을 연다. 뉴욕 출신 슐츠는 1982년 스타벅스에 합류했다. 뒤늦게 들어왔지만 슐츠는 강력한 아이디어를 제시한다. "스타벅스는 단순히 신선한 원두를 제공하는 곳이 아니라 문화를 파는 공간이 되어야 한다"는 것이었다.

　세 명의 창업자가 커피의 정통성에 집착했다면 슐츠는 커피에 새로운 의미를 부여했다. 결과적으로 스타벅스는 세상에서 가장 쉽게 접근할 수 있는 대중적 문화공간이자 휴식처가 됐다. <걸어서 실리콘밸리> 프로젝트를 진행하면서도 스타벅스를 기점으로 삼아 동선을 짰다. 걷다가 화장실이 급할 때면 지도 앱을 열고 스타벅스가 어딨는지부터 검색했다. 스마트폰의 배터리가 떨어지면 스타벅스에서 커피를 마시며 전화기를 충전했다. 하버드대학 도서관장을 역임한 로버트 단턴은 "인간은 의미를 만드는 동물(Man is a meaning-making animal)"이라고 정의했다. 하워드 슐츠는 커피에 새로운 의미를 부여했다. 나는 오늘 내 인생의 무슨 의미를 만들 것인가. 일단 출근 준비부터 해야겠다.

제6화 희망이 있다

  사랑하는 후배가 샌프란시스코 공항을 잠시 경유하는 상상을 한다. 함께 주어진 네다섯 시간을 어떻게 보낼까. 베이 지역에서 딱 한군데를 방문할 수 있다면 어디를 데려갈까. 고민은 오래가지 않는다. 나는 힌트를 얻기 위해 내가 처음 실리콘밸리에 도착하던 때를 반추한다.

  2021년 1월 28일, 대한항공 KE025편 32E번 좌석에 앉은 나는 미지(未知)의 세계를 향하고 있었다. 미디어를 통해 더없이 익숙한 미국이었지만 어쩐 일인지 37년이 지나도록 아메리카 땅을 밟아본 적은 없었다. 더군다나 이란 생활 5년은 미국행을 실행하는 내게 꼭 오점처럼 느껴졌다. 나는 스스로 너무나 자랑스럽게 생각하는 이란 근무이력을 미국 입국시에 철저히 숨겼다. 나는 정정당당했지만 내가 이란에서 무엇을 했는지 구구절절이 설명할 수는 없는 노릇이었다. 가슴을 졸이며 여권심사대를 무사히 통과했다.

여장을 풀자마자 출근을 시작했다. 빠르게 시차를 극복하려던 나는 마음이 급했다. 실리콘밸리에 도착하고 맞이한 첫 주말, 야심차게 가져온 자전거를 끌고 하얏트호텔 샌타클래라 지점 밖을 나섰다. 나만의 방식으로 신고식을 하고 싶었다. 목적지는 샌프란시스코. 조금이라도 날이 서있을 때 조금이라도 더 낯선 방식으로 접근해야만 했다. 시간이 지나면 나는 적응할 것이고 적응을 마친 나는 안정을 찾을 것이고 안정을 찾은 나는 무뎌질 것이 분명했다. 사서 고생하기로 결심하고 속으로 되뇌었다. '자동차를 이용하지 않고 샌프란시스코까지 간다.'

자동차를 처음 대량생산한 미국, 전기차로 미래를 앞당기는 실리콘밸리라지만 여기에도 다양한 삶의 방식이 존재한다. 자전거족을 위해 형성된 237번 고속도로 옆 전용도로 (Highway 237 Bikeway)를 따라 밀피타스까지 내달렸다. 밀피타스에는 샌프란시스코까지 가는 베이지역 급행열차 (BART) 정거장이 자리하고 있다. 열차에 올라타서 자전거를 묶었다. 나 말고도 여러 사람이 자전거와 동행했다. 내심 놀랐다. '내가 관념적으로 생각해온 미국과 실제 모습은 차이가 있겠구나.' 한정된 미국생활의 관건은 근무하는 동안 인식과 실재의 괴리를 얼마나 줄힐 수 있는가가 될 것이었다. 자세부터 바로잡았다.

급행열차는 기대만큼 빠르지 않았지만 1시간이 채 걸리지 않아 샌프란시스코 시내에 도착했다. 엠바카데로(Embarcadero) 역에 내린 나는 부둣가를 따라 열심히 자전거 페달을 밟았다. 많은 사람이 주말을 맞아 부두(pier)와 부두 사이를 오가고 있었다. 관광객이 운집한 피어39도 지났지만 조금도 시간을 지체하지 않았다. 나는 바다를 바라보고 싶었다. 높은 곳에 올라가 태평양을 조망하고 싶었다.

강릉 사람인 나는 평생 집 앞 바다를 태평양으로 생각하고 살아왔지만 대학에 들어가서 서울 친구들에게 동해는 태평양이 아니라는 반박에 부딪혔다. 공식적으로 동해는 태평양의 연안해다. 그럼에도 나는 누구도 반박할 수 없는 북태평양의 본류를 보고 싶었다. 샌프란시스코 일정의 첫 번째 행선지는 골든게이트 브릿지여야만 했다.

태평양을 보러 올라간 금문교에서 나는 바다 대신 생사의 기로에 놓인 사람을 위한 문구 하나에 사로잡혔다. "THERE IS HOPE." 우리말로는 뭐라 번역할 수 있을까. 희망은 있다? 희망이 있다? 희망도 있다? 다양한 해석이 가능하겠지만 나는 담담한 삶의 태도를 내포하고 있는 "희망이 있다"를 선택하겠다.

골든게이트 브릿지는 골드러시 때 금맥을 찾아떠난 개척자 정신을 상징한다. 금문교는 역설적으로 스스로 목숨을 끊는 사람이 많은 곳으로도 널리 알려져 있다. 2006년 영화감독 에릭 스틸(Eric Steel)은 금문교에서 삶을 마감하는 사람들을 기록한 다큐멘터리 '더 브릿지(The Bridge)'를 발표한다. 영화 속에 등장하는 삶과 죽음의 경계선에 선 사람들을 향해 나는 어떤 한 마디를 건넬 수 있을까?

다양한 문장을 생각해 봤지만 "희망이 있다(There is hope)" 이상을 떠올릴 수 없다. 이는 사실 내가 나 자신에게 하고 싶은 말이다. 지난 1년, 미국 생활은 쉽지 않았다. 창업가와 엔지니어의 실리콘밸리에서 사회학도가 설 자리는 좁았다. 무대가 절실했던 나는 5년 간의 이란 시절을 그리워했다. 힘들 때마다 금문교에서 마주친 슬로건을 떠올렸다. 나는 다시 걷는 사람의 자세와 쓰는 사람의 정신을 생각한다. 희망이 있다.

제 7 화 빌 게 이 츠 와 개 발 도 달 국

　나는 사상적으로 스티브 잡스에 끌리지만 현상적으로 빌 게이츠의 제품을 쓴다. 스티브 잡스가 애플에서 구현하고 싶었던 가치를 누구보다 이해한다고 자부하지만 아이폰이나 맥북에 집착하지 않는다. 기술은 이상(理想)을 실현하는 도구에 불과하다고 젠체하며 말하고 싶지만 그건 아니다.

　일평생 마이크로소프트 윈도(Windows)만 쓰면서 살아온 나는 다른 소프트웨어의 필요성을 느끼지 못했다. 컴퓨터를 이용해 주로 글을 쓰거나 문서작업을 하는 내게는 운영체제(OS)보다 키보드의 타건감이 훨씬 중요하다. 애플의 지향점을 파고들게 된 동기는 잡스의 죽음이었다. 사후 발간된 그의 공식전기를 읽으며 잡스가 한결같이 추구한 기업가정신에 깊이 공감했다. 역설적으로 잡스는 죽음을 통해 내게 살아있는 존재로 남았다.

빌 게이츠는 어떨까? 그가 경영일선에서 물러나 자선재단을 만들어 왕성하게 활동한다는 소식은 들었지만 빌 게이츠의 철학을 접할 계기는 좀처럼 없었다. 툭하면 뉴욕타임스의 주말 북섹션을 장식하는 엄청난 독서가라는 사실 말고는 특별히 매력을 느낄 만한 부분도 없다고 생각했다. 내 생각이 짧았다. 실리콘밸리에서 근무를 시작한 지 1년 4개월, 나는 마침내 빌 게이츠가 추구하는 바를 직접 들을 수 있는 기회를 마련했다.

2022년 6월 14일, UC버클리에서 열린 테크크런치 행사의 연사로 초청된 빌 게이츠는 기후위기에 대한 자신의 소신을 밝혔다. 빌 게이츠는 2015년 지구가 마주한 에너지 난관을 뚫고나가기 위해 직접 '돌파구(Breakthrough)'라는 이름의 회사를 설립한다. '브레이크스루 에너지'의 창업자로서 그는 2050년까지 탄소제로를 실현하기 위한 자신의 계획과 우리 모두의 동참을 촉구했다. 예순여섯의 나이가 무색하게 1세대 창업가의 목소리는 또랑또랑했다.

기술로 세상을 뒤흔든 빌 게이츠지만 그는 더이상 기술결정론자가 아니다. 빌 게이츠는 "청정기술 분야에서 어떤 식으로 자본을 배치할 것인가(How to deploy billions in clean tech)"라는 주제를 두고 전지구적 거버넌스의 구축을 지속적으로 강조했다. 그에 따르면 25%의 잘사는 나라(rich countries)에 탄소제로 기술을 판매하고 정책 도입을 장려하는 일은 어렵지 않다. 관건은 75%에 달하는 중·저소득 국가(middle-income countries)를 상대로 '기술을 어떻게 전파하고 정책 도입을 얼마나 유도하는가'다. 빌 게이츠는 브레이크스루 에너지를 통해 기술을 개발하는 데 그치지 않고 75%의 세계가 탄소제로를 실현할 수 있는 거버넌스를 만드는 일에 앞장서겠다고 말했다.

빌 게이츠의 대담을 들으며 나는 줄곧 '개발이란 무엇일까'를 생각했다. 동시에 나의 표현인지 감수성을 성찰했다. 그는 강연에서 개발된 나라(developed country)와 개발 중인 나라(developing country)를 대항하는 개념으로 계속 활용했다. 우리말로는 어떻게 바꿀 수 있을까. 많은 이가 선진국(先進國)이라는 단어를 쓰는 데는 큰 거리낌이 없지만 이에 반대되는 개념으로 후진국(後進國)이라는 표현을 더이상 대놓고 쓰지 않는다. 세계를 앞선 국가와 뒤떨어진 나라로 양분하는 것은 섬세하지 못한 접근이라는 사회적 공감대가 생겼기 때문이다. 우리는 이제 선진국에 대립되는 용어로 개발도상국을 사용한다.

하지만 개발도상국이 동태적 관점에서 '개발 중

(developing)'을 강조하는 낱말이라면 선진국은 이와 대응하는 적절한 어휘가 아니다. '개발된(developed)'은 일련의 움직임을 끝내고 어느 지점에 도달한 정태적 개념이다. 우리가 개발 중인 나라를 '개발도상국'이라고 부르기로 합의했다면 여기에 상응하는 세밀한 표현도 만들어나가야 하지 않을까. 경제개발을 마친 국가를 선진국으로 뭉뚱그려 이상화하기보다는 '개발도달국'으로 적확히 지칭해야 온당할 것이다.

빌 게이츠는 "영향력이 큰 분야에서 아이디어를 추구하라(Pursue the ideas in high impact areas)"며 대담을 마무리했다. 2050년까지 탄소제로를 실현하려는 야심가의 마지막 발언에는 보다 많은 창업가들이 기후위기 해결사업에 뛰어들기를 바라는 마음이 담겨 있다. 나도 지속가능한 사회를 이루기 위한 개인적 실천을 다하고 있지만 빌 게이츠의 조언을 따라 기업까지 만들 용기는 없다. 대신 나는 내 분야의 영향력을 키울 계획이다. 얼마 전 읽은 책 <어른의 어휘력>에서 힌트를 주는 문장을 발견했다. 내 마음을 송곳같이 대변하기에 소개하며 마친다. "나의 세상은 언어의 한계만큼 작거나 크다."

제8화 푸코, 버클리, 메타버스

누가 시키지도 않은 짓을 일주일마다 반복한다. 토요일 새벽만 되면 한 주간 숨겨둔 또 다른 자아를 나지막이 불러낸다. 343개의 호(號)에 평생 급변하는 자기정체성을 담았다는 추사 김정희를 흉내내 나도 48시간 동안 사용할 새로운 이름을 부여한다.

대학에 들어가 지식 대신 맥주를 들이킨 결과 배움은 내게 한(恨)으로 남았다. 어찌어찌 졸업장을 땄지만 학교에서 뭘 배웠냐는 질문을 받으면 매번 가슴이 찔린다. 그렇다. 내게는 사회학을 제대로 공부하지 않은 채 사회학과를 나왔다는 부채의식이 있다. 나는 일생동안 이 빚을 갚기 위해 틈나는 대로 큰배움터를 순례하는 중이다. 다행히 샌프란시스코 베이 지역에는 내가 좋아하는 사상의 진전을 이끈 대학이 우뚝 서있다. 앎을 추구하는 이로서 '학도(學徒)'라는 별칭을 붙인 나는 880번 도로를 따라 UC버클리 앞 커피숍으로 몸과 마음을 옮긴다.

시공간을 초월해 내가 가장 희구하는 버클리의 커피숍은 '에스프레소 익스피리언스(Espresso Experience)'다. 지금은 문을 닫은 이 카페를 상상하며 나는 가상의 나를 창조해 과거의 어느 순간, 어느 지점으로 보낸다. 실재(實在)의 내가 태어나기도 전인 1980년 10월, 가상의 나는 반크로프트(Bancroft) 거리 2440번지에 서있다. 문을 열고 카페에 들어선 나는 에스프레소를 마시고 있는 민머리의 안경낀 사내를 마주한다. UC버클리에 방문교수로 온 프랑스의 스타 철학자를 나는 단박에 알아본다. 그의 이름은 미셸 푸코(Michel Foucault)다.

대학 시절, 수업을 따라가기 위해 그의 저서 <감시와 처벌>을 읽어야 했던 나는 온힘을 다해 미셸 푸코에게 반가움을 표현한다. 그는 아무런 반응이 없다. 앗, 이곳은 현실과 가상이 혼재된 세계다. 1980년 10월, '에스프레소 익스피리언스'에 미셸 푸코는 실제로 존재하지만 나는 상상의 시공간에서 그를 만난다. 이런 상황을 누군가는 초월우주라 표현할 것이다. 영어로 하면 '메타버스(Metaverse)' 정도가 될까?

2022년 6월, 새너제이 시내 맥에너리(McEnery) 컨벤션 센터에서는 메타버스 콘퍼런스가 열렸다. 미국 전역, 아니 세계 각지에서 온 연사들은 자신이 바라보는 미래상을 이야기했다. 누구나 메타버스를 이야기하는 시대지만 누구도 명쾌하게 메타버스를 정의하지 못한다. 내로라하는 전문가들도 마찬가지였다. 밥값을 하고 싶었던 나는 억지로라도 발표가 끝날 때마다 연신 질문을 던졌다.

"메타버스와 대규모 다중사용자 온라인(MMO) 커뮤니티의 근본적 차이는 무엇인가? 우리는 MMO 커뮤니티를 이미 구축하고 있다. 메타버스는 이를 뛰어넘는 크고 분명한 진화(evolution)로 볼 수 있나?"

"기업들은 단일화된 메타버스(The Metaverse) 이상향을 제시하다가 최근 일종의 메타버스(a metaverse)로 마케팅 방향을 선회했다. 하나로 통합된 메타버스 세상을 구축하는 일이 어렵다고 봐야하지 않나?"

"당신은 메타버스의 구성요소를 사람(people), 사물(objects), 공간(spaces), 장소(places)로 제시했다. 한국에서는 콘텐츠(contents), 플랫폼(platform), 네트워크(network), 디바이스(device)로 구분하는 게 일반적이다. 사람이 빠져있다. 메타버스 세계에서 사람은 사용자에 불과한가? 아니면 주체성을 가진 인간인가?"

거대한 질문을 던진 탓인지 속시원한 답변을 한 차례도 듣지 못했지만 소득이 없었던 것은 아니다. 메타버스 콘퍼런스의 연사들은 한결같이 '탈중앙화(decentralization)'를 이야기했다. 중앙화가 어느 한 주체가 통제하고 지시하고 결정하는 구조라면 탈중앙화는 특정 주체의 통제, 지시, 결정을 벗어난 체계를 뜻한다. 발표자들은 '메타버스의 첫 번째 전제는 시공간의 탈중앙화다'고 입을 모아 강조했다. 메타버스를 산업과 기술로만 접근했던 나는 탈중앙화 개념을 접하고 무엇보다 반가웠다. 동시에 그동안 부박했던 나의 인식에 부끄러움을 느꼈다.

나는 의식적으로 미셸 푸코를 떠올렸다. 푸코는 <감시와 처벌>에서 '파놉티콘(Panopticon)'을 고찰한다. 파놉티콘은 소수의 감시자가 한가운데서 모든 수용자를 통제할 수 있는 원형 감옥으로 중앙화의 대표적 상징이다. 미셸 푸코는 파놉티콘의 개념을 근대사회 전반으로 확장해 권력이 작용하는 방식으로 해석했다. 이는 소수의 테크기업에 정보와 권한을 위탁한 채 살아가는 우리의 현재 생활방식에도 충분히 적용할 수 있을 것이다. 미셸 푸코가 살아있다면 현대사회를 어떻게 바라볼지 문득 궁금해졌다. 나는 가상의 '에스프레소 익스피리언스'에서 푸코에게 연신 질문을 던졌지만 메타버스 세계에서 그는 묵묵부답이었다.

제9화 연어의 꿈, 혁신가의 마음

 나는 다시 연어를 생각한다. 평생 의사로 활동한 허만하 시인이 말한 '연어의 필사적 귀향'이 아니라, 드넓은 바다로 나갈 수밖에 없는 '연어의 본능적 꿈'에 대해 떠올린다. 연어는 왜 바다로 가는가. 오랜 시간 품었던 의문이다. 1세대 과학 전도사로 활동하며 대중저술에 매진한 권오길 교수의 책 <별별 생물들의 희한한 사생활>에서 힌트를 얻었다. 연어의 치어인 스몰트(smolt)는 강에서 태어나 얼마간 머물다가 바다로 간다. 풍부한 먹이를 찾아서 간다. 먹을거리가 넘치는 바다로 가서 덩치를 키운다. 먹잇감이 적은 강에 남았다면 체격을 키울 수 없었을 것이다. 연어과인 산천어를 떠올리면 쉽다. 바다로 가지 않고 강에 남은 산천어는 몸집이 작다. 그렇다. 연어는 더 나은 삶을 위해 강을 뒤로하고 바다로 간다.

내로라하는 혁신가들이 실리콘밸리로 모여든다. 더 나은 세상을 만들기 위해 실리콘밸리로 온다. 개중에는 막대한 부를 축적해 퇴장(exit)하겠다는 속내를 숨기고 오는 이도 있을지 모른다. 그럼에도 이윤 극대화를 전면에 내세워 홍보하고 마케팅하는 기업은 없다. 돈으로는 사람들을 설득할 수 없다는 사실을 본능적으로, 아니 직관적으로 알고 있는 것이다. 그들은 기업가일지언정 혁신가는 아니다. 섣부른 개인적 단정일까. 하릴없이 권위를 빌려야겠다. 현존하는 최고 혁신가는 일론 머스크다. 머스크는 왕성한 활동을 하는 현역이므로 여전히 시험대에 올라 있다. 평가를 유보한다. 죽음을 통해 역사로 남은 혁신가의 편지를 엿본다.

애플의 공동창업자 스티브 잡스는 죽음을 목전에 두고 자신의 전기작가 월터 아이작슨에게 이메일을 보낸다. 유언과 다름없는 마지막 편지에서 그는 기업을 하는 이유를 이렇게 설명한다. "어떤 회사를 시작했다가 매각이나 기업공개를 통해 현금이나 챙기려 애쓰면서 자신을 기업가라고 부르는 이들을 나는 몹시 싫어한다. 그들은 사업에서 가장 힘든 일, 즉 진정한 기업을 세우는 데 필요한 일을 할 의향이 없는 사람들이다. 한두 세대 후에도 여전히 무언가를 표상하는 회사를 만들어야 한다. 단순히 돈을 버는 기업이 아니라 영속하는 기업을 구축해야 한다."

한국어판에서는 몹시 싫어한다를 몹시 경멸한다로 번역했지만 원래 표현은 hate다. 싫어하다든 경멸하다든 선택은 읽는 사람에게 맡기겠다. 사실 이 편지에서 중요한 부분은 기업가라 주장하는 그저 그런 사람들에 대한 냉소가 아니다. '무언가를 표상하는 기업'을 구축하려는 그의 끊임없는 추구다. 회사를 운영하는 사람에게만 영감을 주는 말일까. 그렇지 않다. 우리 모두는 태어난 이상 삶을 지속한다. 죽음을 맞이할 때까지 '무언가를 표상하는 자신'을 만들기 위해 살아간다. 한두 세대 후에도 여전히 '무언가를 표상하는 사람'으로 남고 싶은 이가 혁신을 거듭한다. 따라서 기업가정신(entrepreneurship)은 소수의 창업가에게만 해당되는 개념이 아니라 내 삶의 혁신을 이루려는 누구에게도 적용할 수 있다.

나는 실리콘밸리를 성공신화로 해석하는 시각을 경계한다. 현지생활 2년을 향해 가면서 중간정리한 결론은 실리콘밸리는 성공신화가 아니라 성장신화다. 내가 정의하는 혁신가는 일회적 성공에 안주하지 않고 꾸준히 일관된 가치를 키워나갈 수 있는 인물이다. 한 번 더 권위자의 말을 빌리겠다. <좋은 기업을 넘어 위대한 기업으로(Good to

Great)>의 저자 짐 콜린스는 "인생이란 갱생과 성장의 과정이다(Life should be about renewal and growth)"고 말했다. 기업가로서, 아니 직업인으로서, 아니 생활인으로서 우리는 매일 출발선에 선다. 어제의 전진이 오늘의 원점이 된다. 환희에 가득찼던 어제가 신기루처럼 사라진 오늘이다. 혁신가는 그럼에도 자신을 새롭게 해서 앞으로 나아갈 수 있는 사람이다.

나도 연어처럼 더 나은 삶을 위해 실리콘밸리에 왔다. 커다란 나라에서 생각의 몸집을 키우려 했건만 커다란 인물의 성장신화에 압도된 채 부유하고 있다. 다행스러운 점은 내가 탐색 중인 위대한 혁신가들이 한결같이 무형적 정신을 강조하고 있다는 사실이다. 나이키의 창업자 필 나이트는 "비관적인 생각을 버리고 미래의 가능성을 바라보는" 오리건(Oregon) 정신을 말한다. 아마존의 창업자 제프 베이조스는 "모든 일에 첫날의 마음가짐을 유지하는" 데이원(Day 1) 정신을 내세운다. 스티브 잡스는 "아직 적히지 않은 것을 읽어내고 눈에 보이지 않는 것을 제품으로 구현"하는 게 애플의 존재가치라고 했다.

꽤 많은 시간 우울했다. 과연 연어처럼 일관된 방향으로 가고 있는지 확신이 서지 않았다. 어떡해야 할까. 혁신가들의 마음이라도 빌려야겠다. 비관적인 생각을 버리고 미래의 가능성을 바라보며, 모든 일을 초심자 입장에서 접근하자.

내 존재가치는 아직 적히지 않은 것을 적고 눈에 보이지 않는 것을 쓰는 데 있을지 모르니까.

제10화 전념의 반문화

나는 일정 부분 사이보그가 되었다. 스마트폰을 세울 수 있는 동그란 고리를 부착하고 나서는 더욱 그런 생각이 든다. 맨몸으로 걸을 때도 전화기는 챙긴다. 지갑은 빠뜨려도 휴대용 무선단말기는 챙겨야 안심이다. 강력한 접착력을 자랑하는 스마트폰 고리에 손가락을 끼우고 걷는다. 인체공학적(ergonomic) 디자인을 자랑하는 기기는 어느새 내 몸의 일부가 되어 있다. 뜨끔한 마음에 내 손을 응시한다. 스마트폰이 태연한 얼굴로 내게 반문한다. "나를 선택한 건 바로 너야. 나는 너의 개인용 디지털 조력자(Personal Digital

Assistant, PDA)에 불과해."

　스마트폰을 이름 그대로 똑똑한 조수나 비서 정도로 여기고 싶지만 내 현실은 정반대다. 초연결의 시대, 나는 기기를 요령껏 활용할 만한 주체성을 확보하지 못했다. 나의 자유의지에 따라 전화기를 사용한다고 믿고 싶지만 그동안 주입된 가치를 부정하지 못하겠다. 누군가는 그걸 광고나 홍보라고 부를 것이다. 10년 넘게 스마트폰의 아이콘으로 자리한 한 제조사의 유명한 슬로건을 떠올린다. '다름을 생각하라(Think Different)' 스마트폰이 주류가 된 시대에 다름이란 무엇일까. 경쟁사의 운영체제인 안드로이드를 생각하라는 의미일까. 아니면 자신들이 팔고 있는 문명화된 기기를 거부하고 디지털 러다이트 운동이라도 벌여야 한다는 뜻일까.

　여기까지 생각이 미치자 한없이 존재가 작아진다. 안 되겠다 싶어 나가서 잠깐 걷기로 결심한다. 스마트폰은 두고 나왔다. 북새너제이의 과달루페(Guadalupe) 강을 따라 걸으면서 떠오르는 상념에 나를 맡긴다. 하늘은 높고 푸르다. 새들이 날아간다. 그 옆으로는 비행기도 지나간다. 광활한 시공간에 한 명의 사내가 서있다. "왼쪽이요(To the left)!" 자전거를 타는 한 무리의 집단이 뒤에서 소리친다. 정신을 차리고 길가로 몸을 피한다. 실리콘밸리에서 걷기는 반(反)문화적이다. 자율주행 기능이 탑재된 전기차부터 떠올리는 이에게 걷기는 전혀 실리콘밸리답지 않은 행위다. 하지만 나는 다름을 생각한다.

실리콘밸리가 내세우는 혁신의 뿌리는 저항정신과 반문화(counterculture)에 있다. 1950년대 비트세대의 저항정신과 6-70년대 히피가 추구한 반문화는 고스란히 정보통신 혁명의 토대가 되었다. 멀리 갈 것도 없다. '다름을 생각하라'는 슬로건이 이를 증명한다. 혁신은 남다른 생각을 바탕으로 색다른 아이디어를 현실로 만드는 일이다. 따라서 혁신은 주류가 된 통념을 거부할 때 태동한다. 태생적으로 반문화적인 것이다. 반문화를 대표하는 미국의 소설가 커트 보니것(Kurt Vonnegut)은 "가장자리에서는 중심에서 볼 수 없는 모든 것을 볼 수 있다. 꿈에도 생각 못한, 큰 것들을, 가장자리에 선 사람들이 맨 처음 발견한다"고 말했다. 그렇다. 혁신의 출발점은 중심이 아니라 가장자리에 있다.

실리콘밸리에 오고 나서 오랫동안 품었던 의문은 '이제는 주류가 된 혁신기업이 계속 가장자리에 서 있는가'였다. 사실상 24시간 접속해 테크기업의 서비스를 이용하는데도 어쩐지 내 삶이 풍성해진다는 느낌을 받을 수는 없었다. 아니, 깊어진다는 확신을 가질 수 없었다는 표현이 보다 적확할 것이다. 고민이 깊어지던 차에 반가운 책 하나를 발견했다. 피트 데이비스의 <전념>이다. 데이비스는 자신의 하버드 법학대학원 졸업 연설에서 발표한 '전념하기의 반문화(A counterculture of commitment)'가 반응을 얻자 이를 파고 들어 책으로 펴냈다. 그는 현대사회에서 무한탐색과 끊임없는 접속을 벗어나 하나에 전념하는 것을 '반문화적' 행위로 규정했다. 그는 우리가 "삶의 길이는 어찌할 수 없어도 삶의 깊이는 통제할 수 있다"며 반문화적 행위의 필요성을 역설한다.

'실리콘밸리답다'는 것은 가장자리에서 중심을 바라본다는 뜻이다. 실리콘밸리의 바탕인 반문화적 시각에 따라 주류가 된 테크기업의 서비스도 주체적으로 판단해 받아들일 수 있다. 그동안 나는 하나에 몰두하지 못하고 온라인 공간 이곳저곳을 기웃거리며 서성거렸다. 무수히 나를 자책하면서도 실리콘밸리에서는 어쩐지 그래야만 할 것 같다는 강박이 있었다. <전념>을 읽고 조금은 자유로워졌다. 하루의 일정 시간은 연결과 접속을 벗어나 무언가에 전념하기로 마음먹었다. 언제가 좋을까. 누구의 방해도 받지 않는 새벽시간을 다시 확보해야겠다. 일어나면 어둠과 고요 속에서 걸으며 명상을 시도해야겠다. 아무도 없는 카페에서 커피를 마시며 일기를 써야겠다. 현시대의 유행과 시류에 동떨어진 방식처럼 보일지도 모르겠다. 하지만 반문화가 실리콘밸리를 낳았다는 사실을 스스로 일깨우며 감히 이를 '전념의 반문화'라고 일컫는다.

제11화 지구의 해석자

　나는 문장 하나를 찾아 헤매고 있었다. 아니, 문구 하나가 더 적절한 표현일 것이다. 인간에 대한 정의를 함축적으로 드러낸 대여섯 글자짜리 표현이었다. 생각날 듯 생각날 듯 머릿속에서 맴돌았지만 잘 떠오르지 않았다. 다행히 몇 가지 단서가 있었다. 나는 이 표현을 2000년대 후반에 처음 접한 것으로 기억한다. 나는 이 표현이 시적이거나 철학적이었던 것으로 기억한다. 대학을 졸업하고 직장생활을 처음 시작할 무렵, 관심있던 작가의 책에서 봤을 가능성이 크다. 2005년에서 2010년 사이로 돌아가 내 기억의 저장고를 뒤지기 시작한다. 수십 분을 골똘히 생각한 끝에 내가 찾는 표현이 담긴 책이 무엇인지, 작가가 누구인지 어렴풋하게나마 알 듯 하다.

당시 나는 서강대 영문학과 교수인 장영희 선생의 수필을 탐독하고 있었다. 한 일간지의 명수필가로 이름을 날리던 그는 틈틈이 자신의 글을 묶어서 책으로 펴낸다. 처음 접한 장영희 교수의 책은 <문학의 숲을 거닐다>였다. 영미문학 작품 일부를 소개하면서 자신의 에피소드를 엮어서 이야기를 만들어내는 방식이었다. 나는 그의 이야기도 흥미로웠지만 영문학자로서 심미안을 가지고 인용한 표현이나 문구에 심취했다. 그렇다. 단서를 찾았다. 내가 갈구하는 표현은 장영희 교수의 책에 있을 것이다. 책장을 뒤지며 <문학의 숲을 거닐다>가 어딨는지 살핀다. 샅샅이 뒤졌지만 책이 없다. 아마도 이란과 한국, 한국과 미국을 오가면서 책이 사라졌나 보다. 아니면 예스24나 알라딘 중고서점에 헐값을 받고 책을 넘겼을지도 모른다. 책이 없는 상태에서 다음번 단서를 찾기 위해 헤맨다.

내가 찾는 문구에는 '단독자'라는 표현이 들어가 있을 것이라 생각한다. 무리를 이뤄 사는 인간이지만 결정적 순간에는 단독자로 존재할 수밖에 없는 게 모두의 숙명이다. 단독자를 떠올리고 나서 무릎을 쳤다. 나머지는 테크놀로지의 도움을 받기로 한다. 구글로 들어가 '단독자'와 '장영희'를 친다. 어라, 마땅한 검색결과가 나오지 않는다. 장영희 교수가 인용했을 것으로 내심 기대했던 표현은 '신 앞의 단독자'였다. 구글에서 다시 '신 앞의 단독자'를 친다. '신 앞의 단독자', 보다 정확히 말해 '신 앞에 선 단독자'는 덴마크의 실존주의 철학자 키르케고르가 한 유명한 말이다. 인간의 주체성을 강조한 훌륭한 문구지만 내가 찾던 표현이 아니다. 영문학자인 장영희 교수가 철학자의 표현을 인용해서 이야기를 전개하지는 않았을 것이다. '단독자'에 대한 내 집착을 버려야 할 시점이다.

다행히 내게는 빨간색 다이어리가 있다. 대학생 시절, 아르헨티나 혁명가의 일생을 다룬 <체 게바라 평전>이 베스트셀러였다. 이 책이 성공을 거두자 체 게바라를 다룬 비슷한 부류의 책들이 하나둘 나왔다. 나는 체 게바라의 일대기보다는 사은품인 빨간색 양장본 다이어리가 탐나서 <체의 마지막 일기>를 샀다. 체 게바라의 일기는 열심히 읽지 않았지만 빨간색 다이어리에는 마음에 드는 문장을 의식적으로 수집했다. 첫 페이지에는 아일랜드의 대문호 제임스 조이스의 <젊은 예술가의 초상>에 나오는 문장을 잉크젯 프린터로 인쇄해 붙여놓았다. "다가오라 삶이여! 나는 체험의 현실을 몇 백만번이고 부닥쳐 보기 위해, 그리고 내 영혼의 대장간 속에서 아직 창조되지 않은 내 민족의 양심을 벼리어내기 떠난다." 이 문장을 시작으로 다이어리를 처음부터 끝까지 훑었다. 장영희 교수의 책에 나온 표현이 있을 것으로 기대했으나 찾지 못했다. 벌써 자정이 가깝다. 아쉬움을 뒤로 하고 잠들어야 할 시간이다. 이대로는 안 되겠다 싶어 냉장고에서 기네스를 하나 꺼냈다. 아일랜드를 상징하는 스타우트 맥주를 목에 털어넣었다. 제임스 조이스의 기운을 받아 꿈에서라도 문장이 떠오르기를 바라는 얕은 심산이었다.

알람시계를 설정해 놓지도 않았지만 오전 5시가 되자 저절로 눈이 떠졌다. 내가 처음 떠올린 단어는 '해석자'였다. 잠자는 중에도 무의식적으로 표현을 생각하려고 애썼나 보다. '해석자, 해석자, 지구의 해석자...' 맞다, 지구의 해석자! 내가 찾아헤맨 표현은 '지구의 해석자'였다. 장영희 교수의 책에서 처음 접한 이 표현은 미국을 대표하는 여성시인 에밀리 디킨슨의 시 <사랑은>에 나오는 문구다. 원문은 "지구의 주창자(The exponent of Earth)"지만 장영희 교수는 이를 '지구의 해석자'로 번역했다. 지구의 해석자가 꼭 사랑에만 해당되는 표현은 아닐 테다. 나는 인간의 삶은 결국 태어난 이후 죽을 때까지 자신의 해석을 쌓아가는 과정이라 생각한다. 수단이 다를 뿐 인간은 누구나 지구의 해석자인 셈이다. 실리콘밸리의 엔지니어는 기술(technology)로 지구를 해석한다. 그렇다면 나는 기술(description)로 지구를 해석해야겠다.

제12화 바람이 숨결 될 때

　게임과 게임 사이, 나는 언덕에 누워 있었다. 스탠퍼드 대학 운동장에서 맞이한 구름기 한 점 없는 새파란 하늘은 나를 압도했다. 포근하게 불어오는 팔로알토의 바람은 한 주간 쌓인 근심을 살포시 날려줬다. 나는 공을 치지 않는 대신 공을 찬다. 미국에 오고나서 수소문 끝에 가입한 축구클럽의 이름은 '꿈하나'다. 얼핏 우아하고 낭만적으로 들리는 이 클럽의 이름이 사실 매우 실리콘밸리답다고 생각한다. 꿈하나에서 하나는 십진법이 아니라 컴퓨터에서 사용하는 이진법(binary)의 수라고 나는 해석하기 때문이다.

꿈은 왜 0 아니면 1이어야 하는가. 불혹을 바라보는 시점, 나이가 들수록 꿈의 크기가 작아지는 것을 느낀다. 십진법으로 계산하면 9나 다름없던 나의 꿈이 0에 가깝게 수렴하고 있다. 이대로는 안 되겠다. 아직도 환상에 젖어 꿈의 크기를 키우기보다는 꿈을 바라보는 관점을 바꾼다. 꿈은 내용과 형태가 중요한 것이 아니라 꿈꾸는 혹은 꿈꾸지 않는 행위가 본질일 것이다. 어떤 이는 꿈꾸며 산다. 어떤 이는 꿈을 잊고 산다. 전자에게 꿈은 1이고 후자에게 꿈은 0이다. 꿈은 컴퓨터의 전원 버튼과 같다. 누군가에게는 켜져 있지만 누군가에게는 꺼진 채로 잠들어 있다. 따라서 '꿈하나'를 영어로 표현할 때 직역하면 '드림원(DreamOne)'이 되겠지만 의역하면 '드림온(DreamOn)'도 성립할 것이다.

팔로알토에서 하늘과 바람에 취한 채 나는 스탠퍼드 대학 출신 인물을 한 명 떠올렸다. 2016년, 36세의 나이로 세상을 떠난 문학도이자 의사인 폴 칼라니티(Paul Kalanithi)다. 나는 칼라니티를 만난 적이 없지만 그가 자신의 죽음을 기록한 책 <숨결이 바람 될 때>를 아주 인상깊게 읽었다. 최근 10년 간 내게 가장 커다란 영향을 준 책을 하나만 꼽으라면 아마도 <숨결이 바람 될 때>와 월터 아이작슨이 쓴 <스티브 잡스> 전기 중에서 한 권을 선택할 것이다. <숨결이 바람 될 때>의 원제는 'When Breath Becomes Air'다. 폴 칼라니티는 더이상 스탠퍼드에, 아니 이 세계에 존재하지 않지만 나는 팔로알토의 선명한 공기에서 그의 숨결을 느끼려 애썼다.

폴 칼라니티는 스탠퍼드 학부에서 영문학을 전공하고 석사 학위까지 받았다. 이후 '생물학, 도덕, 문학, 철학이 교차하는 곳은 어디인가'라는 자신의 깊은 고민 끝에 예일대 의과 대학원에 진학했다. 졸업 후 스탠퍼드로 돌아와 대학병원 신경외과 레지던트 생활을 하며 본격적으로 의사의 길을 걷던 중 암을 발견한다. <숨결이 바람 될 때>는 의사이자 환자로서, 문학도이자 철학도이자 의학도로서 죽음을 앞두고 폴 칼라니티가 자신을 대면한 기록이다. 내게 가장 큰 울림을 준 부분은 두 개의 다른 영역에서 깊은 사유를 바탕으로 끊임없이 교차점을 찾으려 노력한 그의 시도였다. 특히 "우리는 결코 완벽에 도달할 수는 없지만, 거리가 한없이 0에 가까워지는 점근선처럼 우리가 완벽을 향해 끝없이 다가가고 있다는 것은 믿을 수 있다"고 번역된 그의 문장은 아직도 내 마음에 남았다.

폴 칼라니티는 일생동안 문학·철학과 과학·의학 사이에서 접점을 찾으려고 애썼다. 어느새 칼라니티보다 물리적으로 긴 인생을 살고 있는 나의 현재는 무엇인가. 칼라니티만 좇을 게 아니라 내친 김에 내 주제(theme) 파악도 해야겠다. 실리콘밸리에서 2년째 시공간을 점유하고 있는 내가 스스로 부여한 과제는 인간·문화와 과학·기술 사이의 교차점을 나만의 방식으로 해석하는 것이다. 나는 실리콘밸리를 새의 눈이 아니라 벌레의 눈으로 바라보고 싶다. 실리콘밸리에 대한 거시적 접근과 거대담론은 차고 넘치도록 많다. 커다란 남 얘기에 숟가락을 얹을 것이 아니라 작지만 의미있는 내 이야기를 만들어보자고 다짐한다. 다행히 2022년 초, 소소한 전기를 마련했다. 샌프란시스코 베이에어리어 100마일을 걸으면서 실리콘밸리를 관념이 아닌 실재로 인식할 수 있었다. 엘카미노레알 길을 따라 걸어내려 오면서 지나친 팔로알토의 공기에는 폴 칼라니티의 숨결이 들어있었을 것이다.

나는 실리콘밸리라 불리는 지역의 공기(atmosphere)가 나의 숨결이 되기를 바란다. 관건은 실리콘밸리의 유행을 좇는 것이 아니라 세상을 새롭게 하려는 실리콘밸리의 마음을 체화하는 것이다. 어느새 3년 임기 중 2년이 지나갔다. 문득 정신을 차리고 보니 남은 시간이 많지 않다. 부수적인 가지를 쳐내고 본질적인 뿌리에 집중해야 할 시점이다. 어쩌면 1년 이내에 만족할 만한 지점에 도달하지 못할지도 모르겠다. 폴 칼라니티의 문장에서 다시금 위안을 얻는다. 거리가 한없이 0에 가까워지는 점근선처럼 내가 원하는 지점을 향해 끝없이 다가가고 있다고 믿는 수밖에.

제13화 박인환을 아시나요

돌아가신 내 아버지는 서울에 갈 때마다 성마른 기색을 드러냈다. 자동차의 글로브박스에 지도를 넣고 다녀야 했던 90년대 초 이야기다. 스마트폰은커녕 내비게이션도 출시되지 않았던 시절, 우리 가족은 서울만 들어서면 늘 길을 헤맸다. 반가운 교통체증을 만날 때마다 조수석에 앉은 어머니는 창문을 열고 옆의 택시기사에게 길을 물었다. "면목동 가려면 어디서 빠져야 해요?" 친절한 답변이 돌아왔지만 운전사인 아버지는 영 마뜩잖은 표정이었다.

문제는 번호판이었다. 우리 가족이 탄 현대차 프레스토의 초록색 번호판에는 네 자리 숫자와 더불어 '강원'이라는 글씨가 선명히 적혀있었다. 아마도 아버지는 강원도 사람이 서울 와서 길 물어보면 무시받기 십상이라고 생각하셨을 것이다. 서울 친척집까지 가는 길은 두 개의 세계가 계속 충돌했다. 어머니는 모르면 물어보자는 실용 노선이었고 아버지는 아무 도움 없이 스스로 목적지에 도달할 수 있다는 자주 노선이었다.

나는 기본적으로 나 자신을 실용주의자로 정의한다. 하지만 나이가 들수록 아버지의 정신에도 공감한다. 아버지의 마음에는 분명 강원도 사람의 자부심이 있었을 것이다. 시골이라 불리는 상대적으로 소외된 지역에서 나고 자랐지만 강원도에서 내 아버지는 척박한 환경을 극복하겠다는 포부를 다졌을 것이다. 아버지의 육체는 더이상 이 세상에 없지만 아버지의 정신은 내 마음에 남았다.

강원도 사람으로서 나는 실리콘밸리 근무를 앞두고 지역 대선배 한 분의 미국 체류기를 대단히 인상깊게 읽었다. 그는 1955년 3월, 대한해운공사의 선원 자격으로 미국 땅을 밟은 모더니즘 시인 박인환이다. <목마와 숙녀>, <세월이 가면>과 같은 세련된 시로 유명한 박인환이 20세기 중반 미국을 여행하고 체류기까지 남긴 사실은 널리 알려져 있지 않다. 박인환은 시인으로, 영화평론가로, 책방 주인으로, 신문사 기자로 생계를 이어가지만 변변치 않자 대한해운공사에서 사원으로 사무를 본다. 그의 예술가적 재능을 아낀 사장은 박인환에게 선원 자격을 부여해 배를 타고 미국까지 갈 기회를 마련해준다. 그때 남긴 박인환의 기록이 <19일간의 아메리카>다.

나는 1955년 3월 22일, 미국 워싱턴주의 올림피아 항(Port of Olympia)에 도착한 대한민국 '남해호'를 떠올린다. 남해호에는 선원 박인환이 타고 있다. 한국전쟁이 끝난 지만 2년도 되지 않은 시점, 폐허가 된 모국을 잠시 떠나 초강대국에 도착한 지식인은 무슨 생각을 했을까. 그는 정박을 앞두고 '태평양에서'라는 자신의 글에서 자문한다. "과연 무엇이 우리들을 아니 나를 기다리고 있을 것이며 나는 무엇을 보아야 할 것인가." 사실 박인환의 별명은 '명동백작'이자 '댄디보이'였다. 그만큼 미국으로 대표되는 서구문화를 좋아했다. 자주 마신 술은 '조니워커'였으며 즐겨핀 담배는 '카멜'이었고 눈여긴 배우는 '험프리 보가트'였다. 박인환은 누구보다 먼저 실용적으로 미국문화와 현대 문학기법을 받아들였다. 참여시인 김수영한테 '유행 숭배자'라는 경멸스런 말을 들을 정도였다.

하지만 나는 박인환의 미국 체류기에서 전후 지식인으로서 모국의 정신적 자긍심을 잃지 않으려는 태도를 엿본다. 1955년 5월, 신문에 실린 글에서 박인환은 이렇게 서술한다. "아메리카 전반의 문화수준은 우리와 비할 수가 없으나 그러나 우리들이 조금도 정신적으로 뒤떨어져 있다고는 믿고 싶지가 않다. 그들이 노래하고 춤추고 자동차로 드라이브를 할 때 우리들은 열심히 지식을 흡수한다면 아메리카 문화와 다른 새로운 문화가 우리나라에 생기고 사회와 가정의 생활이 높아질 것이다." 2년 전 실리콘밸리 근무를 준비하며 이 문장을 처음 접한 나는 울컥했다. 70년이 지난 지금 읽어도 울림이 있다.

70년 전 박인환이 자문한 질문을 나도 마주한다. 실리콘밸리라 불리는 지역에서 나는 무엇을 보아야 할 것인가. 질문이 세계를 규정한다. 무엇이 '보이는가'가 아니라 무엇을 '보아야 할 것인가'다. 나는 세상을 이롭게 하겠다는 사람들이 모여든다는 이 곳의 거대한 뿌리를 찾으려 한다. 그 뿌리에서 실리콘밸리를 뛰어넘는 또 다른 흐름이 생겨날 수 있다고 믿기 때문이다. 그 흐름이 대한민국에서 나오지 말라는 법은 없을 것이다.

많은 이들이 실리콘밸리의 트렌드를 좇아야 한다고 말하지만 내 생각은 다르다. 나는 실리콘밸리의 본질이 유행을 재빨리 흡수해 아류가 되겠다는 자세가 아니라 새로운 조류를 만들어내겠다는 마음에 있다고 확신한다. 기왕 시인 이야기로 시작했으니 시인의 문장을 인용해 마무리하겠다. 아일랜드의 시인 오스카 와일드가 남긴 말이다. "유행이란 참을 수 없이 추해서 6개월마다 바꿔주어야 한다(Fashion is a form of ugliness so intolerable that we have to alter it every six months)."

제14화 세 개의 그릇, 세계의 그릇

분명 <페르세폴리스>였다. 주말 가족여행지로 정한 '포트 브래그(Fort Bragg)'의 작은 상점가를 지나치던 나는 자연스레 발걸음을 멈췄다. 단순하지만 본질적인 이름이 붙은 '서점(The Bookstore)'에는 새빨간 책이 온몸으로 표지를 드러내고 있었다. 이란계 프랑스인 작가인 마르잔 사트라피가 쓴 <페르세폴리스>였다. 사트라피는 1979년 이슬람혁명으로 이란을 떠나 프랑스로 갔던 자신의 성장기를 유쾌하게 만화로 풀어낸다. 2002년 프랑스에서 처음 출간된 자전적 내용의 이 그래픽소설은 차츰 전세계의 반향을 불러일으킨다. 나의 첫 번째 국외 근무지였던 이란의 현대사를 가장 쉽게 이해하는 방식은 <페르세폴리스>를 읽는 것이다. 나는 2014년 이란 테헤란에서 <페르세폴리스>를 영화화한 애니메이션을 보았다.

8년이 흘러 미국 서부 해안가의 작은 도시 '포트브래그'에서 <페르세폴리스>를 다시 마주쳤다. 보채는 아이들과 아내를 얼른 식당에 남겨둔 채 음식이 나오는 동안 잠시 밖으로 나왔다. 나는 '서점'에 가야만 했다. 여기는 미국이다. 미국에서 이란을 다룬 책을 전면에 내세우려면 큰 용기가 필요할지 모른다. 문득 책방 주인의 시각과 심미안이 궁금해졌다. 상인은 상품으로 말한다. 책방의 상품은 책이다. 무슨 책을 팔고 있느냐가 서점의 색깔을 드러낸다.

<페르세폴리스> 밑에는 시리아 소녀 바나 알라베드가 쓴 <세계에게(Dear World)>가 누워있었고 그 밑에는 월터 아이작슨이 쓴 <스티브 잡스> 전기가 서있었다. 나는 세 권의 책을 확인하고 금세 '서점'과 사랑에 빠졌다. 중고책 <페르세폴리스>를 집어들고 9.25달러를 결제했다. 계산대에 붙어있는 '서점'의 슬로건은 "책이 인생을 바꾼다(Books change lives)"였다. 적어도 내게는 10달러어치 파워볼 복권을 사는 것보다 10달러짜리 책을 사는 게 인생을 바꿀 가능성이 컸다. 그렇다. 나는 인생을 바꾸고 싶었다.

미국에서 보는 영어판 <페르세폴리스>는 속도가 더딜 수

밖에 없다. 하지만 서문을 곱씹어 읽으며 저자 사트라피가 책을 쓴 의도에 누구보다 공감할 수 있었다. 사트라피는 자신의 삶을 담은 이 책을 통해 세계가 이란을 바라보는 방식에 균열을 내려고 했다. 이란에서 5년을 거주한 까닭에 <페르세폴리스>는 내게도 울림이 큰 책이다. 내게 이란은 무엇일까. 나에게 이란은 이란 사람(Iranian people)과 같은 단어다. 여느 한국인과 같이 중동에 대해 무지한 채로 이란 땅을 처음 밟은 이방인에게 사람들은 어딜 가나 선뜻 도움의 손길을 내밀었다. 오랜 경제제재로 이란은 분명 낙후되었지만 이란 사람들은 손님에 대한 따뜻함과 여유를 잃지 않고 있었다. 인상적이었다. 여행서 론리플래닛도 이란에 가면 '사람을 만나라'며 이를 이란식 환대(Iranian hospitality)로 정의하고 있다.

돌이켜보니 군대를 제대한 지도 만 16년이 되었다. 이중 절반의 세월을 외국에서 보냈다. 제약된 군생활은 새로운 세계를 꿈꾸는 계기로 작용했다. 제대하고 나서 외국어를 연습해서 점수를 땄고 잉글랜드에서 1년을 수학할 수 있었다. 졸업을 앞두고 내친 김에 주기적으로 국외근무를 할 수 있는 직업을 모색했다. 회사에 입사해서 처음 발령받은 곳이 이란이다. 이란에서 나는 고산병에 시달리는 산악인 신세였다. 헐떡이면서도 꼭 꼭대기에 오르고 싶었다. 생각보다 시간이 오래 걸렸고 나는 기한을 연장해 5년을 머물렀다.

세상과 떨어진 산속을 헤집고 다니다 보니 이번에는 드넓은 바다를 헤엄치고 싶었다. 세계의 중심이라는 곳에서 새로운 흐름을 만들어내는 동력을 보고 싶었다. 그게 아니라면 곁눈질이라도 하고 싶었다. 미국 실리콘밸리에서 시행착오를 거듭하는 이유다.

나는 외국에 거주하는 일이 하나의 그릇을 빚는 행위와 비슷하다고 생각한다. 그렇다면 내게도 세 개의 그릇이 생겼거나 생기고 있는 중일 테다. 학생 시절의 잉글랜드는 내게 간장종지 크기로 남았지만 결혼 초기의 이란은 국을 담는 대접 정도는 된다고 자평한다. 미국 거주는 접시의 형태가 아닐까 짐작한다. 상대적으로 내용물을 담기에 용이했던 이란 생활과 달리 미국 근무에서 깊이를 만들어내기가 쉽지 않기 때문이다. 2023년을 앞둔 내게는 시간이 얼마 남지 않았다. 깊이가 안 되면 넓이라도 챙겨야겠다. 넓은 접시에 이것저것 담아봐야겠다고 다시금 다짐한다.

어느새 2022년 12월이다. 세계 각국이 축구공 하나를 두고 대결하는 장이 카타르에서 펼쳐지고 있다. 한국인으로서 대한민국을 응원하지만 그만큼 B조의 경기를 유심히 지켜봤다. 나에게 세 개의 그릇으로 존재하는 잉글랜드, 이란, 미국이 같은 조에서 만났다. 특히나 미국과 이란의 대결은 내게 각별한 의미가 있었다. 미국의 16강 진출을 축하한다.

Ⅱ. 혁신가의 마음을 찾아서

제15화 자율보행자

　쫓기는 사람처럼 황급히 스마트폰을 꺼낸다. 구글지도 앱을 열고 서둘러 설정 아이콘을 찾는다. 활동제어로 들어가 위치기록을 끈 나는 멍한 표정으로 한동안 창밖을 응시한다. '구글은 내 모든 걸 알고 있겠구나.' 어쩌면 나보다 나를 더욱 잘 알고 있을지 모른다. 나의 앞날을 나보다 더 적확하게 예상할 수도 있을 것이다. 소시민인 나에 대해 구글이 그만큼 관심이 없다는 게 다행이라면 다행일까.

　지메일을 넘기다가 우연히 확인한 구글의 <내 활동기록 보고서>를 보고 나는 섬뜩해졌다. 구글은 시간대별로 나의 위치를 추적하고 있었다. 아침마다 걸어서 커피를 마시러 가는 나의 동선을 구글은 한치의 오차없이 기록했다. 구글에 따르면 나는 오라클(Oracle) 캠퍼스 앞에서 신호등 없는 횡단보도를 건넜다. 교차로에서는 암트랙(AmTrak) 열차가 지나가길 기다리느라 몇 분을 움직임 없이 서있었다. 집에서 스타벅스 미션칼리지 지점까지 가기 위해 도보로 총 27분을 소요했다.

낯선 곳에 일하러 와서 빨리 적응하기 위해 틈날 때마다 지도를 펼쳤다. 안드로이드 전화기를 쓰던 내게 구글맵은 생활교본과도 같았다. 자동차로 세계를 바라보는 미국인과 차별화된 시각을 갖추기 위해서는 자동차를 덜 타는 수밖에 없다고 생각했다. 현지에 도착하는 날부터 걷거나 자전거를 이용하겠다고 결심했다. 샌프란시스코행 항공기에 접이식 자전거를 구겨 넣었다. 한국에서 지하창고 신세를 면치 못하던 자전거는 기다렸다는 듯이 오자마자 탈이 났다. 며칠 되지 않아 타이어가 펑크났고 나는 재빨리 자전거포를 찾아야 했다. 다행히 내겐 구글이 있었다. 지도 앱을 열고 '내 주변 자전거 수리점(Bike repair shop around me)'을 검색했다. 구글은 문닫는 시간까지 고려해 가장 가까운 곳을 알려줬다.

세상에 공짜 점심은 없다고 했던가. 미국에 와서 줄기차게 이용한 구글지도 앱은 기본값으로 사용자의 위치정보를 수집한다. 애써 설정을 바꾸지 않는 한 내 활동은 실시간으로 구글 서버에 축적된다. 스타벅스에서 커피를 마시고 돌아오던 화창한 어느날 아침, 나는 나의 움직임을 완벽하게 파악한 구글의 활동기록 보고서를 보고 덜컥 겁부터 났다. 나는 구글에 별도의 사용료를 내지 않는 대신 내 정보를 고스란히 넘기고 있었던 셈이다.

제멋대로 살아온 나는 마땅히 내세울 만한 종교가 없다. 그래도 생을 마감할 때 나의 진실과 허위를 모두 알고 있는 이는 신밖에 없을 것이라고 어렴풋이 생각해 왔다. 이제 내 생각이 틀렸을지도 모른다는 느낌이 든다. 하루하루 나는 구글에 절대적으로 많은 부분을 위탁한 채 살고 있다. 구글로 정보를 찾고 지메일로 교신을 하고 구글이 인수한 유튜브로 영상을 즐긴다. 얼마 전 장만한 휴대전화는 구글이 만든 단말기 '픽셀6'다. 구글은 나의 추구(pursuit)와 선호(preference)를 파악하고 내가 사고 싶어할 상품을 광고하고 내가 즐길 만한 영상을 알아서 추천한다. 유발 하라리가 <호모 데우스>에서 '신이 된 인간'을 설파했듯이 삶의 많은 부분을 구글에 의지한 결과, 구글은 내게 신의 경지에 다다랐다.

구글의 지배에 사실상 종속된 나는 앞으로 삶을 어떻게 헤쳐나갈 것인가. 실리콘밸리 생활이 2년을 향해가면서 다행히 웬만한 곳은 지도 없이도 찾아갈 수 있다. 일론 머스크가 자율주행을 내세운다면 나는 자율보행자의 길을 가겠다. 구글맵의 안내 없이 나의 자유의지에 따라 걸어갈 경로를 선택하겠다. 오늘 아침 스타벅스로 향하는 길, 스마트폰부터 집에 두고 나왔다.

제16화 벌레의 눈으로 본 혁신

반환점을 돈다. 주기적으로 국외근무를 하는 직업인으로서 늘 어디쯤 왔나를 확인한다. 가장 쉬운 방법은 임기가 얼마나 남았는지 떠올리는 것이다. 2021년 초, 난생 처음으로 아메리카 대륙을 밟았다. 살면서 꽤 많이 외국을 다녔다고 자부하지만 이상하게 미국에 올 기회는 없었다. 게다가 미국과 대립각을 세우는 이란에서 5년을 머무른 탓에 나는 사뭇 비장했다. 목적지는 실리콘밸리, 근무기간은 3년. 샌프란시스코로 향하는 비행기에서 나는 나 자신에게 던지는 출사표를 써내려갔다.

"사명감을 안고 간다. 개인의 성장, 가족의 행복, 국가에 대한 공헌, 세계시민으로서 전지구적 기여까지... 나의 1분 1초가 가질 의미를 가슴에 새긴다."

1년 반이 지나고 돌이켜보니 부끄럽다. 갈 길이 먼데 시간은 나를 기다려주지 않는다. 고개를 들어보니 이미 반환점을 돌고 있다. 뭐라도 정리를 해야겠다고 다짐한다. 건축물 설계도로 치면 조감도(鳥瞰圖)만 그리려 애쓸 게 아니라 앙시도(仰視圖)라도 확보해야 하는 시점이다. 조감도가 새의 눈(bird's eye)으로 위에서 내려다본 그림이라면 앙시도는 벌레의 눈(worm's eye)으로 위를 올려다본 도면이다. 새의 눈은 거시적인 만큼 시원할 것이다. 벌레의 눈은 미시적이지만 솔직한 맛이 있다. 양쪽 모두 가치가 있다. 그동안 실리콘밸리의 혁신을 통시적으로 분석하는 거대담론은 한국에도 많았다. 하지만 실리콘밸리가 상징하는 혁신가의 정신과 지향점을 주체적으로 소화하려는 접근법은 아직도 찾기힘들다. 실리콘밸리 근무 반환점을 돌며 벌레의 눈으로 바라본 혁신을 소개한다.

미국에 오고 나서 가장 공들인 일은 하루를 시작하는 강력한 루틴을 만드는 것이었다. 실리콘밸리에서도 아침을 여는 나만의 의식(ritual)이 필요했다. 3년을 근무한다고 하지만 세분화해서 생각하면 1,095일 묵고 갈 뿐이다. 매일 떠오르는 태양처럼 1,095번 나를 새롭게 할 수 있다면 자기 혁신에 성공할 것으로 확신했다. 아침형 인간으로서 새벽시간을 고요하지만 의미있게 보낼 수 있는 장소부터 물색했다. 오전 대여섯시부터 커피나 차를 마시며 이런저런 글을 쓸 수 있는 작업실이 필요했다. 집에서 걸어갈 수 있어야 하고 여행을 가서도 비슷한 곳을 손쉽게 찾을 수 있어야 했다. 몇 군데 카페를 돌면서 실험했지만 결론은 스타벅스였다. 스타벅스만큼 언제, 어디서든 일관된 분위기를 조성할 수 있는 공간은 없었다. 나는 출근도장 찍듯 눈을 뜨면 집 근처 스타벅스로 향한다.

지금의 스타벅스를 만든 사람은 하워드 슐츠(Howard Schultz)다. 스타벅스를 대표하는 인물이지만 그는 창업자가 아니다. 스타벅스는 1971년 젊은이 3명이 의기투합하며 탄생했다. 제리 볼드윈, 지브 시글, 고든 보커는 샌프란시스코에서 대학을 졸업하고 시애틀로 돌아간다. 대학 시절 즐겨 찾던 커피숍 '피츠(Peet's)'의 맛을 잊지 못해 시애틀에 가서도 원두를 우편으로 주문해 내려마셨다. 샌프란시스코에서 시애틀까지 원두가 배송되는 과정에서 향과 맛이 떨어지기 일쑤였다. 세 명의 청년은 피츠를 모델로 삼아 커피원두를 파는 가게를 직접 열기로 결심한다. 이처럼 초창기 스타벅스는 커피원두 소매점이었다.

하워드 슐츠는 스타벅스가 설립된 지 10년도 더 지난

1982년에 합류한다. 뉴욕 브루클린 노동자 가정 출신인 그는 스타벅스에서 실현하고 싶은 자신의 이상(理想)을 창업자들에게 설파한다. 스타벅스는 시애틀에서 커피원두를 파는 소매점 몇 개에 그칠 게 아니라 미국 전역, 나아가 세계 곳곳에 존재하는 문화공간이 되어야 한다는 것이었다. 창업자들은 슐츠의 비전에 반대했다. 그들은 피츠로 대표되는 커피의 정통성에 집착했다. 한걸음 나아가 피츠커피를 인수하며 1987년 8월 스타벅스를 슐츠에게 파는 결정까지 내린다. 당시 하워드 슐츠가 스타벅스를 매입해 최고경영자가 되지 않았다면 나는 스타벅스 북새너제이 지점에서 이 글을 쓰고 있지 못할 것이다. 스타벅스는 아직도 시애틀의 원두 판매점에 머물렀을지 모를 일이다. 무엇이 창업자들과 슐츠의 차이를 만들었을까.

슐츠의 스타벅스는 전세계를 대표하는 압도적 커피 브랜드로 우뚝 섰다. 하워드 슐츠는 스타벅스를 인수하고 딱 10년이 지난 시점에서 성장기를 담은 책을 낸다. 우리말로는 <스타벅스, 커피한잔에 담긴 성공신화>로 번역됐지만 원제는 <당신의 심장을 부어라(Pour your heart into it)>다. 슐츠가 스타벅스의 대표로서 초창기 가장 공들인 일은 '커피경험의 재창조(Reinventing the coffee experience)'였다. 하워드 슐츠는 언제나 앞을 바라봤다. 일부 고급 지식인의 전유물로 인식되던 원두커피 문화를 미국 전역으로 전파할 수 있다는 담대한 마음을 가슴에 품었다. 그는 앞으로 커피숍이 보다 많은 이들이 소박한 여유를 즐기며 교류하고 낭만을 느끼는 오아시스가 될 것으로 확신했다. 반면 제리 볼드윈을 비롯한 창업자 3인은 옛날에 사로잡혀 있었다. 그들은 샌프란시스코대학을 다니던 시절 즐긴 피츠커피의 맛과 경험을 잊지 못하며 계속 뒤를 돌아봤다. 미래로 나아가려는 이와 과거로 회귀하려는 자가 있다. 혁신가는 누구일까. 당연히 전자다.

하워드 슐츠는 철저히 안을 살폈다. 자신이 몸담은 조직인 스타벅스 속에서 기회를 발굴하고 가능성을 키웠다. 3명의 창업자들이 밖으로 눈을 돌리며 피츠커피를 인수하는 일에 공들일 때, 슐츠는 스타벅스에서 실현할 자신의 사명을 잊지 않았다. 슐츠는 비전을 이렇게 정의했다. "당신이 보는 것을 다른 이가 보지 못할 때, 사람들은 그걸 비전이라 부른다(Vision is what they call it when others can't see what you see)"고 말이다. 슐츠는 스타벅스의 내부자로서 창업자들이 보지 못한 미래가치를 내다봤다. 확신이 없던 창업자들은 피츠커피의 정통성에 의지해 외부에서 답을 구하려 애썼지만 성공적이지 못했다. 하워드 슐츠는 "기업을 계속 키우려면 자기 자신부터 개혁해야 한다"고 말한다. 난관을 맞거나 선택의 기로에 섰을 때 우리는 주로 밖에서 길을 찾으려 시도한다. 나의 결정을 남에게 위탁하는 방식은 쉽고 편하다. 하지만 하워드 슐츠의 스타벅스가 증명하듯이 해결의 실마리는 언제나 내 안에 있다.

실리콘밸리 근무 1년 반이 지났다. 생애 처음 미국 땅을 밟은 날은 2021년 1월 28일이다. 이국의 분초를 아껴쓰겠다고 다짐하며 나는 흘러가는 시간을 축적하기 시작했다. 도착하자마자 휴대전화에 날짜계산기 앱부터 깔았다. 내 스마트폰의 숫자는 지금 547을 가리키고 있다. 547일이 지났고 547일이 남았다. 547번 아침에 눈을 떴고 547번 저녁에 눈을 감았다. 눈뜨고 있는 동안만큼은 늘 혁신을 고찰하려 노력했다. 반환점을 돌며 중간정리한 혁신의 토대는 현재에 안주하지 않고 끊임없이 '갱신(更新)'하는 자세다. 혁신가는 매일 자기갱신에 성공하는 사람들이다. 한자는 같지만 '경신(更新)'이 남을 뛰어넘는 상대적 개념이라면 갱신은 나를 새롭게 하는 절대적 잣대가 기준이 된다. "홈런을 치면서도 자기갱신을 추구하라(Seek to renew yourself even when you're hitting home runs)"는 하워드 슐츠의 말을 떠올리며 오늘도 나를 새롭게 해야겠다.

제17화 빌 게이츠에게 못다한 질문

새해를 맞이해 2022년의 365일을 곱씹는다. 일 단위로 계산하면 놓치는 시간이 있을지 모른다. 다시 2022년의 8,760시간을 곱씹는다. 시간 단위로 계산하면 놓치는 순간이 있을지 모른다. 다시 2022년의 525,600분을 곱씹는다. 촌각을 다투며 살지는 못했으므로 초 단위까지 가지는 않겠다. 이쯤에서 멈춘다. 이러한 계산법은 내 삶의 '디지털 전환'을 이루기 위한 소소한 방편이다. 흘러가는 시간에 속절없이 당하지 않기 위해 순간순간을 붙잡고 이런저런 꼬리표를 붙인다. 결국 디지털 전환에는 우리의 시공간을 숫자와 문자로 데이터화해 추이를 파악하고 미래를 내다보겠다는 의도가 담겨있을 것이다.

2022년, 내가 가장 흥분한 시공간은 6월 14일 오전 11시 10분 UC버클리의 강당이었다. 그곳에 윌리엄 헨리 게이츠 3세가 왔다. 흔히 '빌 게이츠'라는 이름으로 널리 알려진 이 인물은 실리콘밸리의 역사를 증명한다. 물론 마이크로소프트 창업자로서 그의 주된 활동무대는 시애틀이었다. 실리콘밸리가 단순히 물리적·지리적 공간을 의미하지 않는다는 사실을 상기할 때 빌 게이츠만큼 실리콘밸리의 기업가정신을 표상하는 사람은 찾기 힘들다. 애플 창업자 스티브 잡스 정도를 꼽을 수 있겠으나 아쉽게도 그는 현존하지 않는다. 스티브 잡스와 빌 게이츠의 라이벌 구도는 너무도 유명하지만 둘이 우정을 쌓고 서로 존중하는 관계를 구축해온 일화는 덜 알려져 있다. 잡스가 죽음을 앞둔 어느 날, 게이츠가 그의 집을 방문해 4시간이나 이야기를 나눌 정도였다.

빌 게이츠는 개인용 컴퓨터(PC) 산업에서 은퇴했지만 새로운 분야에서 세상을 더 나은 방향으로 바꾸기 위해 특유의 열정을 쏟고 있다. 기후위기를 해결하기 위해 직접 벤처캐피털을 설립하고 '돌파구(Breakthrough)'라는 이름을 붙였다. 2050년까지 전지구적 탄소제로를 실현하기 위해 그가 집중하고 있는 지역은 중·저소득층 국가다. 빌 게이츠는 "부유한 개발도달국(developed countries)의 참여만으로는 기후위기의 25%밖에 해결할 수 없다"고 단호하게 말했다. 관건은 대다수 개발도상국(developing countries)이 문제해결에 동참할 수 있도록 기술을 전파하고 인프라 개선을 돕는 것이다. 빌 게이츠 자신에게 가장 절실한 숙제가 '아프리카에 값싼 전기를 공급하는 방법'이라고 하니 세계가 마주한 과제에 대한 그의 진심이 느껴졌다.

30분 간의 짧은 강연을 들으며 나는 정보통신 혁명으로 세상을 뒤흔든 커다란 인물에게 질문을 던지고 싶었다. 과연 내게도 차례가 올까 조마조마했지만 어쩐 일인지 그는 참석자 누구의 질문도 받지 않고 할당된 시간을 마무리했다. 나는 기회가 주어진다면 꼭 묻고 싶었다. "당신은 윈도(Windows)로 개인용 컴퓨터 시대를 열며 정보통신 분야에서 개인의 가치와 능력을 재정의했다. 당신이 조언한 대로 기후위기를 해결하기 위해 창업을 하거나 기술을 개발할 소질이 없는 수많은 개인이 있다. 나를 포함해서 말이다. 하지만 탄소배출을 줄이기 위해 자동차를 타지 않고 출퇴근하거나 종이컵 사용을 줄이기 위해 외출할 때 텀블러를 챙기려고 노력한다. 1인분의 개체로서 지구를 아끼려는 일상적 노력은 기후위기를 해결하는 데 어느 정도로 의미가 있다고 평가하는가?"

제18화 혁신가들의 세 가지 공통점

많은 이들이 실리콘밸리를 배우러 온다. 십수 년 전에 그랬고 지금도 그렇고 앞으로도 그럴 것이다. 실리콘밸리는 개혁과 갱신을 추구하는 이에게 분명 더할 나위 없는 탐구 대상이다. 실리콘밸리 근무를 만 2년 넘게 지속한 결과, 이제 한 가지는 확실히 말할 수 있다. 빅테크로 대변되는 혁신기업에 다니는 직원이라고 해서 모두 회사의 가치를 내면에 구현한 채 일하고 있는 것은 아니라는 사실 말이다. 기름기를 빼고 담백하게 이해하자면 실리콘밸리도 결국 직장인 사회다. 여기서 가장 대우받는 직장인은 엔지니어다. 구글, 애플, 아마존, 메타, 엔비디아 등 이름만 들어도 아는 기업의 티셔츠를 입고 커피숍에서 코드를 짜고 있는 그들을 보면 어쩐지 위축될 때가 많다. 사회학을 전공하고 공공기관에서 일하고 있는 전형적인 문과생이 실리콘밸리에서 설 자리는 매우 좁다. 다행히 그렇기에 탑재할 수 있는 시각도 있다.

우리가 아니 내가 실리콘밸리에서 배우려는 대상은 세상을 뒤흔든 탁월한 기업가들이다. 여느 직장인과 다를 바 없이 매년 연봉협상에 골몰해야 하고 스톡옵션의 가치에 전전긍긍할 수밖에 없는 빅테크 기업의 엔지니어는 논의주제에서 제외한다. 일상에 매몰되지 않고 새로운 세상을 상상했던 커다란 인물의 흔적과 자취를 좇으며 무엇이 그들을 탁월하게 만들었는지 살펴보기에도 시간은 부족하다. 실리콘밸리로 대표되는 탁월한 기업가들의 마음에는 공통적으로 몇 가지 특성이 있다. 나는 이를 크게 셋으로 정의한다. 첫째는 영속하는 가치 찾기다. 둘째는 다름에 대한 천착이다. 마지막은 끝없는 진리 추구다. 지금부터는 이 세 가지 특성을 실리콘밸리 대표 기업가들의 삶과 연계해서 해석해 나가겠다. 대상은 현존하지 않거나 적어도 현역에서 물러난 사람들로 한정한다. 현재 왕성하게 활동하고 있는 인물은 기업가로서 결론이 나지 않았기에 평가를 유보한다.

영속하는 가치 찾기

영화 <헤어질 결심>의 시나리오 작가 이력을 찾다가 그의 프로필 사진을 봤다. 그는 한 손을 턱에 괸 채 정면을 응시하고 있다. 그 앞에는 애플의 은색 맥북이 놓여있다. 한입 베어 문 사과 문양이 선명한 노트북 컴퓨터가 그의 정체성을 드러낸다. 순간 나는 저 자리에 다른 노트북이 놓여있다면 어떤 느낌이었을까 상상한다. 지금 내가 원고를 쓰고 있는 검은색 씽크패드였다면 사람들은 어떻게 받아들일까. 레노버가 인수하기 전 IBM의 로고가 씽크패드에 박혀 있다면 또 어떨까. 한국 대기업의 제품을 대입하기도 하고 중국과 타이완의 노트북을 넣어보기도 한다. 그러다가 죽음을 앞둔 스티브 잡스를 떠올린다.

삶을 얼마 남겨두지 않고 잡스가 몰두한 작업은 자신이 죽은 후에도 애플이 표상하는 가치가 영속되도록 하는 일이었다. 다시 말해 애플이 상징하는 무언가가 세대와 세대를 넘어서도 지속될 수 있도록 눈을 감는 순간까지 각별히 애쓰고 공을 들였다. 기업 활동으로 자신의 철학을 구현하려고 했던 잡스에게 애플 제품은 눈에 보이지 않는 가치를 눈에 보이도록 만드는 도구이자 수단이었다. 애플은 무엇을 상징하는가. 일생을 선불교 수행자로서 살아온 그에게 가장 중요한 가치는 '단도직입'이자 '정문일침'이었다. 그의 철학에 따라 지금도 애플 제품은 극단적으로 단순한 디자인을 고수하며 사용자가 직관적으로 이해할 수 있도록 설계된다.

1997년 애플로 복귀한 지 얼마 안 된 시점, 잡스는 쿠퍼티노 본사에서 직원들에게 마케팅에 대해 강연한다. 7분 남짓한 이 영상은 유튜브에서 어렵지 않게 찾아볼 수 있다. 강연에 따르면 잡스에게 마케팅은 '가치'에 대한 것이다. 그는 확신에 차서 말한다. 제품을 출시하는 기업으로서 사용자에게 수많은 정보를 주려고 해서는 안 된다고 말이다. 기업이 표상하는 가치가 사람들의 마음에 남아 있어야 한다는 뜻이다. 위기에 빠진 회사를 구하러 돌아온 창업자는 애플이 사용자의 가슴에 무엇을 남기고 싶은지 명확히 하자고 직원들을 설득한다. 기업가로서 영속하는 가치를 찾고 회사 내에 심기 위해 평생 몰두한 한 사내의 젊은 시절이 새로이 다가온다. 잡스는 떠났지만 그가 새겨놓은 가치가 여전히 애플에 존재한다.

다름에 대한 천착

앞서 언급한 마케팅 강연에서 잡스는 나이키의 사례를 든다. 나이키는 마케팅을 하면서 에어맥스나 에어조던이 얼마나 뛰어난 신발인지 강조하지 않는다. 대신 위대한 스포츠맨에 대한 존경심을 지속적으로 표현한다. 사람들이 나이키

신발을 신고 생활하고 운동하면서 그들처럼 일상에서도 위대함을 실현할 수 있다고 생각하게 만드는 것이다. 사실 나이키의 창업자 필 나이트는 대학 시절 실패한 육상선수였다. 어쩔 수 없이 스포츠맨의 삶을 포기하고 스탠퍼드 대학원에 진학한 그는 남다른 길을 가기로 결심한다. 취직을 하지 않고 회사를 만들기로 생각한 것이다. 나이키의 전신인 블루리본 스포츠를 설립하기 전 그가 품었던 비장한 마음가짐은 2016년 발간된 자서전 <슈독> 도입부에 나타나 있다.

"세상 사람들이 미쳤다고 말하더라도 신경 쓰지 말자. 멈추지 않고 계속 가는 거다. 그 곳에 도달할 때까지는 멈추는 것을 생각하지도 말자. 그리고 그 곳이 어디인지에 관해서도 깊이 생각하지 말자. 어떤 일이 닥치더라도 멈추지 말자."

필 나이트는 나이키 창업자로서 자신의 인생을 회고하며 '미친 사람들이 역사를 만들어간다'고 단언한다. 멀리 갈 것도 없이 나이트 자신이 시작부터 그랬다. 1962년 아시아, 유럽, 아프리카를 배낭 여행한 다음 신발회사를 세우겠다는 구상을 주변에 밝히면 사람들은 다들 '미친 생각(Crazy Idea)'이라고 말했다. 미국인의 90%가 비행기를 타본 적도 없던 시절의 일이니 일견 이해가 가지 않는 것도 아니다.

하지만 탁월한 혁신가는 남다른 길을 포기하지 않고 색다른 방식으로 자신의 가치를 증명할 때 탄생한다. 필 나이트의 미친 생각이 1964년 나이키를 낳았다. 그로부터 30여 년이 지나고 1997년 스티브 잡스가 내세운 애플의 슬로건은 '다르게 생각하라(Think Different)'다. 다름, 색다름, 남다름에 대한 끊임없는 천착을 혁신 기업가들의 마음에서 반복적으로 읽을 수 있다.

끝없는 진리 추구

필 나이트는 신발회사를 세우기 전, 여러 나라부터 여행했다. 왜 그랬을까. 그는 통시적으로 인류가 지속한 위대한 탐험을 통해 신성함을 찾으려 했다. 그는 동양의 도(道), 그리스의 로고스(Logos), 힌두교의 즈냐나(Jnana), 불교의 다르마(Dharma), 기독교의 정신(Spirit)과 같은 개념을 이해하고 싶었다. 그는 우리에게 주어진 시간이 생각보다 짧고 한정된 시간을 의미있게 보내야 한다는 사실을 진리로 받아들였다. 세상에 태어난 흔적을 남기는 것이 그의 인생 전체를 꿰뚫는 목표였다. 나이트는 창업을 통해 이를 이루려 했다.

스티브 잡스 역시 죽음을 앞두고 자신의 전기작가에게 보낸 편지에서 "인생 대부분에 걸쳐 눈에 보이는 것 이상의 무엇이 우리 존재에 영향을 미친다고 느꼈다"고 담담히 고백한다. 또한 세계 최고의 부자가 되는 것은 결코 자신의 목표가 아니었다고 못박는다. 기업가로서 잡스는 끊임없이 나아가기를 원했다. 인간애가 흐르는 제품의 진화만이 그의 유일한 목표였다. 잡스는 엔지니어를 예술가와 동일시했다. 훌륭한 전자제품은 탁월한 예술작품처럼 계속 진일보해야 한다고 믿은 그는 기업 활동을 통해서 진리를 추구했다.

아마존을 창업한 제프 베이조스도 마찬가지다. 아마존의 철학은 '첫날 정신'으로 널리 알려져 있다. 베이조스는 아마존의 건물 이름을 데이원(Day 1)으로 명명할 정도로 첫날 정신에 각별한 의미를 부여했다. 그는 아마존 설립 초기부터 호기심 넘치는 탐험가의 문화를 만들겠다는 확실한 비전을 품고 있었다. 2018년 4월, 주주들에게 보내는 서한에서도 "진정한 탐험가는 전문가가 되어도 처음 시작하는 때의 초심을 잃지 않는다"고 썼다.

베이조스는 항상 오늘을 첫날이라고 생각했다. 자기 자신만이 아니라 크게 성장한 조직 전체에도 가장 중요한 과제는 첫날의 활기를 유지하는 것으로 봤다. 그에게 둘째 날은 무엇이었을까. 베이조스에 따르면, 둘째 날은 정체고 둘째 날은 무관심이며 둘째 날은 극심한 쇠퇴로 이어질 뿐이다. 이후 남은 것은 죽음뿐이라는 베이조스의 말에서 구도자의 결기가 느껴진다. 기업 활동에서 진리를 찾으려는 초심자의 자세를 읽을 수 있다.

　오늘도 많은 이들이 실리콘밸리를 배우러 온다. 실리콘밸리를 배우러 오는 사람들에게 꼭 한번 건네고 싶은 말이 있다. 앞서 살펴봤듯이 남다름을 추구하는 게 실리콘밸리의 본질이라면 우리는 그저 실리콘밸리의 현상을 답습하는 데 머물러서는 안 된다고 말이다. 실리콘밸리를 배우려는 까닭은 또 하나의 아류를 지향해서가 아니라 실리콘밸리와 달라지고 궁극적으로 뛰어넘기 위해서일 것이다. 영속하는 가치는 결코 누가 제시해줄 수 있는 게 아니다. 탁월한 기업가들은 영원히 사라지지 않을 자신만의 가치를 찾기 위해 일평생 여정을 계속했다. 그렇다고 꼭 기업 활동을 통해서만 진리를 갈구할 필요는 없다. 실리콘밸리가 태동한 1960~70년대 미국 샌프란시스코 베이 지역의 모토는 '일상생활의 혁명'이었다. 우리는 우리에게 주어진 지금, 여기에서 혁신을 실현할 수 있다. 직업인으로서 내게도 '여생의 첫날'이 시작되었다.

제19화 혁신가의 말자취를 찾아서

"어디를 꼭 가고 싶어요?" 미국 출장길에 오른 회사 동료들이 실리콘밸리에 잠깐 들른다. 목적지까지 가는 직항이 없어서 국내선으로 갈아타야 하는 그들이 선택한 중간 기착지는 샌프란시스코 국제공항이다. 실리콘밸리에서 주어진 시간은 대여섯 시간 남짓. 여기서 급히 처리해야 할 업무와 공항 수속과정을 빼면 우리에게는 서너 시간밖에 여유가 없다. 마중을 나간 나의 질문에 동료들의 대답은 명확하다. "애플 한번 갈 수 있어요?"

주차장에서 차를 찾아 공항을 빠져나오면서 나는 일부러

101번 국도가 아닌 280번 주간도로(interstate highway)를 선택한다. 애플의 창업자 스티브 잡스가 스트레스를 받을 때마다 드라이브를 즐겼다는 도로 말이다. 1986년 잡스가 애플에서 쫓겨났을 때 머물렀던 우드사이드(Woodside) 지역도 280번 도로를 타면 지나가야 한다. 조금 더 내려가면 2005년 세계인의 마음을 사로잡은 잡스의 졸업식 연설이 나왔던 스탠퍼드 대학도 마주할 수 있다. 목가적인 풍경에 취해 한 시간쯤 지나자 쿠퍼티노 지역의 애플파크에 도착했다. 우리는 애플파크 방문자센터에서 커피 한 잔을 시켜놓고 이야기를 나누기 시작한다. 나는 한국에 잘 알려지지 않은 스티브 잡스의 면면을 소개하기로 마음먹는다. 방법은 그가 남긴 언어의 흔적을 찾아가면서 의미를 재해석하는 것이다. 나는 이를 혁신가의 '말자취'로 이름 붙이겠다. 우리의 여정에 당신을 초대한다.

시공간을 옮겨보자. 때는 1991년, 장소는 오리건 주 포틀랜드에 있는 리드 대학(Reed College)이다. 잡스는 1991년 리드 대학 학위수여식에 참석해 축사를 발표한다. 앞서 말했듯이 2005년 스탠퍼드 대학에서 잡스가 한 연설은 세계적으로 알려졌지만 1991년 리드 대학 축사는 그렇지 못하다. 유튜브에 공개된 영상 조회수만 비교해도 알 수 있다. 스탠퍼드 대학 연설은 5,000만회가 넘지만 리드 대학 축사는 500회가 채 되지 않는다. 하지만 잡스는 1991년 리드

대학 축사에서 기업가로서 자신의 인생 전체를 관통하는 철학을 공개한다. 축사의 제목은 '늘 배고플 것(Staying Hungry)'이다. 2005년도 스탠퍼드 연설의 마지막 문장이 "늘 갈망하라, 늘 우직하게 나아가라(Stay Hungry, Stay Foolish)"였다는 점을 상기하면 잡스는 이미 14년 전부터 안주하지 않는 혁신가의 자세에 천착했던 사실을 알 수 있다.

잡스는 축사를 마무리하면서 "기질은 호시절에 형성되지 않는다, 기질은 결핍에서 만들어진다(Character is not built in good times, but in a time of adversity)"고 말한다. 리드 대학에서 철학을 전공하던 잡스는 한 학기가 지나고 학교를 중퇴한다. 부모님의 후원에 기대서 비싼 수업료를 감당하고 싶지 않던 그는 친구들의 기숙사 방을 전전하며 필요한 과목만 청강한다. 이때 들었던 서예(Calligraphy) 수업이 훗날 매킨토시가 심미적 폰트를 갖추는 데 도움이 되었다고 담담히 고백했다. 또한 돈이 부족해 한 가지 음식만 먹는 식단을 고수하고 공짜 밥을 얻기 위해 대학 근처에 있는 힌두교 사원을 방문하는 일도 부지기수였다. 잡스는 억만장자가 되고도 새로운 세계를 갈구하는 히피(hippie)로서 자신의 영적 자아를 잃지 않으려 애썼다. 대학 시절 사과농장 공동체 생활을 했던 그는 컴퓨터회사 이름을 '애플'로 지으면서 시작부터 초심자의 정체성을 드러낸다. 젊었을 때의 결핍은 잡스가 기업가로서 기질을 형성하는 데 결정적 영향을 미쳤다.

리드 대학에서 축사를 한 1991년, 잡스는 스스로 어려운 시기를 지나고 있었다. 자신이 창업한 회사에서 쫓겨나 몇 년째 야인 생활을 하는 중이었다. 넥스트(NeXT)라는 기업을 만들어 재기를 노렸지만 애플에 버금갈 수준은 아니었다. 오히려 자신이 보유한 컴퓨터 애니메이션 스튜디오 픽사(Pixar)가 성장하면서 애플 복귀의 발판을 마련한다. 1997년, 연봉을 1달러만 받는 상징적 계약을 체결하고 최고경영자로 애플에 복귀한 잡스는 쿠퍼티노의 애플 캠퍼스 '인피니트 루프(Infinite Loop)'에서 직원들을 모아놓고 마케팅에 대한 자신의 철학을 설파한다. 그는 "마케팅은 가치에 관한 것이다(To me, marketing is about values)"고 단언한다. 잡스가 없는 10여 년 동안 애플이 상징하는 가치는 무너져내리고 있었다. 꺼져가는 불씨를 살리기 위해 투입된 구원투수답게 그는 애플의 본질부터 명확히 하자고 호소한다.

잡스는 당시 마케팅을 가장 잘하는 회사로 나이키 사례를 든다. 나이키는 신발을 파는 회사지만 자사 제품이 기능적으로 얼마나 훌륭한지 강조하지 않는다. 대신 위대한 스포츠맨에 대한 존경심을 계속해서 표출한다. 훌륭한 선수가 나이키를 신고 경기하는 모습을 넌지시 보여주는 것이다.

잡스는 애플이 나아갈 방향도 이와 다르지 않다고 생각했다. 그가 정의한 애플의 본질은 기술과 제품으로 '세상을 바꾸는' 기업이다. 애플의 제품과 서비스를 쓰면서 무언가를 창조하는 행위가 인류를 한 걸음 나아가게 만들 것이라는 그만의 철학이었다. 이때 내세운 애플의 슬로건이 '다르게 생각하라(Think Different)'다. 잡스가 복귀하자마자 공들여 제작한 광고에서 애플은 세상을 바꾼 위대한 인물의 모습을 하나씩 열거한다. 아인슈타인, 밥 딜런, 마틴 루터 킹, 존 레넌, 마리아 칼라스, 간디를 비롯한 17명이 차례로 등장한다. 통념에 맞선 사람들에 대해 경의를 표하면서 애플이 지향하는 가치도 이와 마찬가지라는 메시지를 슬며시 던진다. 눈에 보이지 않는 가치를 정립하는 일이 결국 마케팅의 정수라는 혁신가의 사고를 엿볼 수 있다.

56년의 길지 않은 삶을 살았던 잡스는 일생을 선불교 수행자로 지냈다. 잡스가 사망한 2011년 10월, 주간지 타임(TIME)은 그를 추모하는 특별판을 낸다. 1984년에 갓 출시한 매킨토시를 안고 바닥에 앉았던 젊은 기업가의 모습을 표지로 선택했다. 사진을 유심히 살펴보면 잡스가 이때부터 완벽한 결가부좌 자세를 유지한 사실을 알 수 있다. 물론 지독한 명상과 수행의 산물이다. 잡스의 전기를 쓴 월터 아이작슨은 그를 '평생 구도자로 산 사람'으로 정의했다.

잡스가 애플로 복귀하고 1년이 지난 1998년 5월, 그는

'비즈니스위크(Business Week)'와 인터뷰하며 자신이 지속한 명상활동의 일부를 공개한다. "내 오랜 만트라는 집중과 단순함이다(That's been one of my mantras: focus and simplicity)"고 말이다. 만트라는 명상할 때 반복적으로 되뇌는 단어나 문장을 말한다. 기술로 세상을 움직인 혁신가의 진리는 '단순함'이다. 차고 창업 시절인 1977년부터 애플의 기치가 '단순함은 궁극의 정교함이다'는 레오나르도 다빈치의 금언이었다는 사실에서도 이를 확인할 수 있다.

혁신가의 말자취를 찾아 떠난 우리의 여정을 마무리할 시점이다. 가장 중요한 것은 탁월한 인물이 남긴 교훈을 내 삶과 일에서 어떻게 체화하느냐로 귀결된다. 가정과 일터에서 본질에 해당하지 않는 부분은 가지를 쳐나가자고 다짐하지만 매일 좌절하는 게 나의 현실이다. 기질은 호시절에 형성되지 않는다고 했던가. 직업인으로서 가치를 만들기 위해 지금, 여기에 집중하고 나의 시공간부터 단순화해야겠다.

제20화 걷는 혁신가들

\# 샌프란시스코에 사는 잭은 걸어서 출근한다. 집에서 회사는 5.3마일, 약 8.5킬로미터 떨어져 있다. 걸어서 회사까지는 보통 75분이 걸린다. 7시 30분쯤 집을 나서면 8시 45분경 회사에 도착한다. 2년 넘게 걸어서 회사까지 가는 방식을 고수한 그는 한 인터뷰에서 자신이 '가장 잘한 투자(the most worthwhile investment)'로 도보 출근을 꼽았다.

트위터 창업자 잭 도시(Jack Dorsey)의 이야기다. 블룸버그에 따르면 현재 그의 자산가치는 44억 달러가 넘는다. 원화로 6조에 달하는 어마어마한 재산을 보유한 억만장자는 왜 걸어서 출근할까. 실리콘밸리라 불리는 지역에서 2년 넘게 근무하고 보니 이제야 눈에 들어오는 현상이 있다. 빅테크 기업의 창업자들이 일상생활과 의사결정 과정에서는 단순함과 고요함에 충실하고 기본에 천착한다는 사실이다.

매일 새벽 5시 30분에 기상하는 잭 도시는 일어나자마자 트위터를 확인할 것 같지만 회사에 도착하기 전까지 철저하게 휴대전화를 사용하지 않는다. 아침마다 자신만의 고요한 시간을 확보해 중요한 의사결정을 내리기 위한 몸과 마음 상태를 유지하는 것이다. 잭 도시는 이를 정신을 맑게(clear), 육체를 작동하게(performant) 만드는 과정으로 묘사했다. 도보 출근도 걷기가 가장 단순하고 기본적인 인간의 행위라는 점에서 마찬가지다.

월터 아이작슨이 쓴 〈스티브 잡스〉 전기에는 '산책'이라는 단어가 모두 43번 등장한다. 그만큼 잡스는 중요한 결정을 내릴 때마다 산책을 활용했다. 산책은 일생에 걸쳐 그가 가장 좋아하는 미팅 방식이었다. 젊은 시절, 애플이 마이크로소프트와 라이선스 협상에 나설 때도 잡스는 빌 게이츠에게 긴 산책을 하자고 제안했다. 누군가와 함께 산책하는 것은 잡스가 일과 삶에서 즐겨 사용한 문제해결 도구였다. 그는 문제가 풀리지 않을 때마다 오랜 시간 걸으며 상대방과 이야기를 나눴다. 동료들은 잡스와 걷고 나면 "열 번 중 아홉 번은 접근법을 찾을 수 있었다"고 평가했다.

잡스가 산책이라면 아마존의 제프 베이조스는 수면을 강조한다. 베이조스는 2018년 9월 워싱턴DC에 소재한 경제 클럽(The Economic Club)과 인터뷰하며 기업가로서 자신이 가장 우선시하는 것은 '8시간 수면'이라고 밝힌다. 잠을 제대로 자야 더욱 나은 생각과 사고를 할 수 있고 이는 질 높은 결정으로 이어진다는 뜻이다. 베이조스는 자신의 의사결정이 대부분 3년 후 아마존과 직결되어 있으므로 미래를 내다본다면 하루 세 번 좋은 결정을 하는 것으로 충분하다고 말한다. 그는 3개의 좋은 결정을 위해 8시간을 잔다.

4당5락을 금과옥조처럼 여기며 살아온 한국인인 내게 8시간 수면은 생경하면서도 반갑다. 푹 자고 잘 걸어야 좋은 아이디어가 나온다는 사실을 혁신가들은 직관적으로 알고 있나 보다. 실리콘밸리에 왔으니 혁신가처럼 살고 싶었다. 집을 구할 때도 첫째 조건은 사무실에서 도보로 30분 안에 갈 수 있는 곳이었다. 잭 도시처럼 매일 지키지는 못하지만 출퇴근하면서 1시간은 걸으려 애쓴다. 점심마저 거르고 걷고 있다. 하루 2시간씩 걷고 8시간은 잔다. 혁신가의 껍데기는 다 흉내내고 있으니 이제 본질로 세상에 기여할 일만 남았다.

제21화 지아니니를 아시나요

낯선 곳에 살러 가서 맨 먼저 할 일은 은행계좌를 여는
것이다. 회사에 들어오고 처음 일하러 간 곳은 이란이었다.
이란에서는 돈을 맡기기가 쉬웠다. 외국인이 적은 탓이었는
지 대한민국을 위해 일한다고 하면 어딜 가도 환영했다. 도
착한 날 바로 이란 대형은행 계좌를 틀 수 있었다. 현금카
드까지 곧장 나왔다. 물론 국제사회의 경제제재를 받는 탓
에 이란 국경을 벗어나면 무용지물이었다.

미국에 와서 경제활동을 하려니 내가 믿을 만한 사람인지
부터 입증해야 했다. 이방인 신세다 보니 한국계 미국 은행

에 기댈 수밖에 없었다. 몇 개월 동안 큰 불편 없이 살았지만 작은 도시에 가면 은행지점이 없어서 애를 먹었다. 신용카드를 받을 수 있을지도 확신이 서지 않았다. 월급이 꼬박꼬박 들어오는 게 확인되고 차곡차곡 소비실적이 쌓여야 신용도가 올라간다고 했다. 그래야 카드 발급심사를 통과하기 쉽다는 뜻이었다.

며칠 고민하다가 미국 대형은행 계좌를 열기로 결심했다. 사무실에서 걸어갈 수 있는 은행 지점은 두 개였다. 체이스(Chase)는 0.8마일, 약 1.3킬로미터 떨어져 있었고 뱅크오브아메리카(Bank of America)는 도보로 11분이 걸렸다.

체이스와 뱅크오브아메리카는 미국에서 가장 규모가 큰 상업은행이다. 2023년 연방준비제도가 발표한 통계에 따르면, 체이스의 자산은 2조 5천억 달러가 넘는다. 뱅크오브아메리카는 2위로 2조 4천억 달러에 달했다. 체이스의 전국 지점수는 4,788개고 뱅크오브아메리카는 3,804개다. 소매금융을 다루는 미국 양대 상업은행이라고 할 수 있다.

둘 중 어느 곳의 문을 두드릴까 비교하면서 정보를 찾아봤다. 체이스가 미국 동부 뉴욕에서 시작한 점은 이미 알고 있었다. 뱅크오브아메리카가 1904년 샌프란시스코에서 설립된 사실은 금시초문이었다.

이탈리아 이민자였던 아마데오 지아니니(Amadeo Giannini)는 1870년 새너제이에서 태어났다. 실리콘밸리의 수도를 자처하는 새너제이 말이다. 서른한 살에 부를 일군 지아니니는 당시 은행이 영세사업자를 무시하는 풍토가 마뜩잖았다. 스스로 사업을 하면서 고초를 겪은 터였다. 은행가를 설득해 방식을 바꾸려 했지만 통하지 않았다. 지아니니는 직접 '힘없는 사람들(little fellow)를 위한 은행'을 만들기로 마음먹는다. 1904년, 뱅크오브아메리카의 전신 '뱅크오브이탈리아(Bank of Italy)'가 샌프란시스코에서 탄생했다.

뱅크오브이탈리아는 당시 봉급생활자와 영세사업자에 집중했다. 최초로 여성을 위한 부서를 만들고 여성의 재정관리를 도왔다. 수수료와 금리를 낮췄다. 1달러만 있으면 계좌를 열 수 있도록 심사절차를 단순화했다. 영어가 서툰 이민자를 위한 직원을 채용했다. 영업시간을 늘려 저녁과 일요일에도 문을 열었다. 고객이 늘었고 자연스레 지점도 많아졌다. 20여 년이 흐르자 이탈리아 이민자를 위한 은행은 '뱅크오브아메리카'가 되었다.

지아니니는 미국 소매금융의 판도를 바꾸고 표준을 새로 만들었다. 오늘날에는 너무도 당연한 일이 100년 전 어느 창업가의 용기와 배짱에서 비롯되었다. 결국 혁신은 마음에서 움트나 보다. 이를 거창한 말로 기업가정신(entrepreneurship)이라고 하던가.

제22화 실리콘밸리를 걸어 보니

제목부터 정하고 어떻게 이야기를 풀어낼까 고민하다가 문득 '걸어 보다'의 띄어쓰기가 궁금해졌다. 인터넷을 통해 이런저런 정보를 찾았다. 가장 확실한 방법은 규정을 확인하는 것이다. 한글 맞춤법 제5장 제3절은 보조용언을 다룬다. 제3절 제47항은 "보조용언은 띄어 씀을 원칙으로 하되, 경우에 따라 붙여 씀도 허용한다"고 명시하고 있다. 이에 따르면 '걸어 보다'가 원칙이고 '걸어보다'를 허용한다. '걷다'가 본용언이고 '보다'가 보조용언이 되기 때문이다. 보조용언 '보다'는 '어떤 행동을 시험 삼아 함'을 뜻한다. 하지만 나는 다른 의도로 '걸어 보다'로 띄어 쓰겠다고 마음먹는다. '걷다'와 '보다'를 모두 본용언으로 활용하고 싶은 까닭이다. '보다'의 첫 번째 사전적 의미는 '눈으로 대상의 존재나 형태적 특징을 알다'이다. 그렇다. 내가 하려는 이야기는 2022년 초 일주일 동안 100마일, 약 160킬로미터에 달하는 미국 실리콘밸리를 걸으면서 바라본 경험이다.

포드주의가 탄생한 미국, 미래 모빌리티를 이끄는 실리콘밸리에서 왜 '걸어 보기'였을까. 샌프란시스코 베이 지역에서 내가 갖는 정체성 때문이었다. 창업가, 엔지니어, 벤처투자자가 중심인 실리콘밸리다. 대한민국 공공기관에서 일한다는 배경 하나만 내세워 업무를 하기에는 부족함이 있었다. 냉정하게 말해 직업인으로서 내가 크게 매력적으로 비춰지지 않았다. 일을 하려니 내러티브가 필요했다. 일과 동떨어진 개인적 관심이 아니라 일을 제대로 할 수 있는 근간이 절실했다. 실리콘밸리를 물리적으로 이해하는 일부터 시작해야겠다고 결심했다. 좁은 개념의 실리콘밸리는 샌프란시스코 베이(Bay)를 둘러싼 공간을 가리킨다. 샌프란시스코와 샌타클래라, 오클랜드를 연결하는 U자형 지역의 거리를 재어보니 하루에 15~20마일, 즉 25~30킬로미터씩 걷는다고 치면 일주일이면 충분했다.

배낭을 꾸렸다. 어둠이 가시지 않은 새벽, 스마트폰 지도를 나침반 삼아 집을 나섰다. 신선한 공기를 기대하며 발걸음을 뗀 지 3시간이 지나지 않아 매캐한 냄새가 코를 찔렀다. 예상치 않게 샌프란시스코만에서 거대한 쓰레기 매립지와 재활용 센터를 마주했다. 사람 키보다도 큰 압축 폐기물의 위용은 순식간에 나를 압도했다. 사람의 발길이 닿지 않는 곳에서 기계를 이용한 작업이 일사분란하게 진행됐다. 전깃줄에 줄지어 앉은 새들은 이미 익숙하다는 듯 태연하게 장면을 구경하고 있었다.

실리콘밸리와 쓰레기 매립지는 썩 어울리는 조합이 아니지만 샌타클래라 카운티에만 23개 '슈퍼펀드(Superfund)' 지역이 있다. 언뜻 진취적 느낌의 벤처캐피털이 연상되는 '슈퍼펀드'는 사실 정반대를 의미한다. 슈퍼펀드 프로그램은 미국 환경청(EPA)이 유해폐기물 오염지역을 지정해 복구하는 연방정부 차원의 대표적 환경정화 사업이다. 다시 말해 슈퍼펀드는 유해폐기물에 의해 오염된 곳으로 공식 인증된 지역을 가리킨다. 카운티 기준으로 미국에서 가장 많은 슈퍼펀드를 보유한 곳이 바로 샌타클래라다. 반도체 산업의 부흥으로 샌타클래라 밸리는 실리콘밸리로 우뚝 섰지만 동시에 미국에서 가장 오염된(contaminated) 지역이 되었다. 실리콘밸리를 걷고 나서 깨달은 점은 혁신가의 이상은 철저히 현실의 과제에 기반해야 한다는 사실이다.

걷다 보면 자동차로 이동할 때 보이지 않던 것들이 눈에 들어온다. 인간의 입장에서 자동차 이동은 사이가 텅 빈 점과 점을 찍는 행위다. 이에 반해 걷기는 선을 긋는 활동에 가깝다. 생성형 인공지능의 시대, 인간은 기술의 폭발적 발전에 무엇으로 대응할 것인가. 단순히 수많은 점을 찍는 행위를 넘어서 점을 이으며 내러티브를 만드는 활동이 하나의 대안이 될 수 있다. <사피엔스>의 저자 유발 하라리가 주창한 것처럼 "인간은 이야기하는 동물(Homo sapiens is a storytelling animal)"이기 때문이다.

제23화 서부 해안을 유별나게

'포틀랜드를 유별나게(Keep Portland Weird).' 미국근무를 시작한 첫해 여름, 포틀랜드의 호텔에서 마주친 대형액자의 슬로건이 아직도 뇌리에 강하게 남아있다. 우리말로는 어떻게 번역해야 가장 적절할까. 포틀랜드를 이상하게, 포틀랜드를 기이하게, 포틀랜드를 기묘하게, 포틀랜드를 기괴하게까지... 다양한 변주가 가능하겠지만 포틀랜드 사람들이 자신이 사는 공간의 자부심을 드러내려 한다는 점에서 나는 일부러 '유별나게'를 선택한다. '포틀랜드를 유별나게.' 모국어로 발음해보니 입말로도 나쁘지 않다.

실리콘밸리에 오고 나서 처음 떠나는 장거리 여행지로 오래전부터 포틀랜드와 시애틀을 점찍어두었다. 세상을 뒤흔든 기업들이 미국 서부 해안도시의 지역 정체성을 기반으로 성장했다는 이야기를 들었기 때문이다. 베이 지역(Bay Area)은 거주하는 곳이고 샌프란시스코는 당일치기로도 충분히 오갈 수 있다. 사는 곳에서 멀리 떠나고 싶었다. 재미도 있어야겠지만 의미도 챙겨야 한다. 편도 934마일, 약 1,500킬로미터가 넘는 로드트립의 목적지로 포틀랜드와 시애틀을 낙점했다.

브루킹스 연구소에서 2022년 3월 발간한 자료도 나의 선택을 뒷받침해주었다. '기술의 지리학(The Geography of Tech)'이라는 제목의 보고서는 팬데믹 기간 중 혁신생태계가 형성된 미국 도시의 영향력을 분석하고 있다. 브루킹스는 미국 혁신지역을 슈퍼스타(Superstars), 샛별(Rising Stars), 이외(the rest)로 분류했다. 슈퍼스타에 해당하는 도시는 8개다. 서부의 새너제이, 샌프란시스코, 시애틀, 로스앤젤레스 등 4개가 속하고 동부에는 뉴욕, 보스턴, 워싱턴DC 등 3개가 있다. 보고서는 마지막으로 텍사스주 오스틴을 꼽으면서 유일하게 각주를 달았다. 다른 7개 도시보다 규모가 작지만 오랜 중요성과 빠른 성장세로 추가한다고 말이다. 8개 중 7개가 해안도시며, 7개 중 4개가 서부에 있다.

포틀랜드는 슈퍼스타에 해당하지는 않지만 직업인으로서

내게 큰 의미가 있었다. 일하고 있는 실리콘밸리무역관의 관할지역은 6.5개주다. 사무실이 자리잡은 북(北)캘리포니아 외에도 워싱턴, 오리건, 몬태나, 아이다호, 와이오밍, 알래스카까지가 물리적 업무 범위에 해당한다. 물론 모든 주를 기계적으로 배분해서 동등하게 노력을 투입할 수는 없는 노릇이다. 하지만 시애틀이 있는 워싱턴주(州)와 포틀랜드가 위치한 오리건주는 창업과 혁신의 관점에서 볼 때 실리콘밸리에 버금가는 가치가 있다.

아마존, 스타벅스, 마이크로소프트, 코스트코가 워싱턴의 시애틀에서 창업한 사실은 한국에도 널리 알려졌다. 애플의 스티브 잡스가 '세상에서 가장 마케팅을 잘하는 회사'로 평가한 나이키가 탄생한 곳은 오리건이다. 나이키를 창업한 필 나이트(Phil Knight)는 오리건 사람으로서 자신의 정체성을 제품과 브랜드에 담기 위해 일평생 공들였다. 나이키의 역사를 써 내려간 세계 본부를 오리건에서도 시골이나 다름없는 '비버튼(Beaverton)'에 두고 시작한 점에서도 이를 확인할 수 있다.

나이키는 '오리건의 남자' 둘이 창업한 회사다. 오리건 대학(University of Oregon) 육상선수 출신인 필 나이트와 필을 지도했던 빌 바우어만이 공동으로 회사를 설립했다. 시작은 미미했다. 전업 육상선수가 되기에는 재능이 부족했던 필 나이트는 오리건 대학과 스탠퍼드 대학원을 졸업한 후에도 달리기에 대한 꿈을 버리지 않았다. 필은 육상선수를 위한 운동화 판매사업을 하기로 결심하고 대학 시절 코치인 바우어만을 찾아간다. 바우어만은 이 자리에서 자신이 지도하는 선수들을 위해 운동화 몇 켤레를 구매하는 수준을 넘어서 아예 동업을 제안한다. 500달러 수표를 써주며 49%의 지분을 갖는 조건으로 경영권은 필 나이트에게 위임했다. 이로써 초기 자본금 1,000달러짜리 회사가 탄생했다. 1964년 나이키의 전신인 '블루리본 스포츠'가 출발을 알린 것이다.

필 나이트는 자서전인 동시에 나이키의 창업 분투기인 〈슈독〉의 막을 올리면서 오리건 트레일(Oregon Trail) 이야기부터 꺼낸다. 오리건 트레일은 19세기 중엽 골드러시 때 개척자들이 걸어온 기다랗고 험준한 길이다. 미주리에서 오리건까지 끊임없이 이어지며 총길이는 2,170마일, 약 3,492킬로미터에 달한다. 미국 토지관리국(BLM)은 1841년부터 1884년까지 이 길을 걸은 사람을 약 50만 명쯤 될 것으로 추산한다. 몇몇은 길에서 태어났고 몇몇은 길에서 생을 마감했다. 필 나이트는 오리건 트레일을 떠올리면서 '오리건 사람들의 권리, 기질, 운명, DNA'를 상징한다고 말한다. 그리고 오리건 사람으로서 자신이 생각하는 개척자정신(pioneer spirit)을 정의한다. 바로 "비관적인 생각을 버리고 미래의 가능성을 바라보는 것"이라고 말이다.

2023년 4월 개봉한 영화 <에어(Air)>에서도 이를 확인할 수 있다. <에어>는 나이키가 마이클 조던을 영입하는 과정에서 1980년대 동부 사람들이 오리건을 어떻게 인식하는지를 보여준다. 조던의 에이전트는 나이키를 대표하는 소니 바카로(맷 데이먼 분)와 협상하며 비꼬듯 말한다. "오리건 황야에서 웬일이야(What's new in the wilds of Oregon)?" "그런데 보통 회사처럼 본부를 동부에다가 둘 수는 없니(Why can't you get a base on the east coast like a normal company)?" 바카로는 담담히 대답한다. "그들은 여기를 사랑해(They love it out here)." 그들은 물론 창업자 나이트와 바우어만이다.

비버튼의 나이키 세계 본부를 방문했을 때 변방과 다름없는 곳에서 변화를 만들어낸 오리건 사람들(Oregonians)의 절실함이 느껴졌다. 캠퍼스를 돌면서 휴식을 취하려 벤치에 앉았다. 나무 벤치에는 "위대함을 갈구하는 이에게 위대함은 어디에나 있다(Greatness is wherever somebody is trying to find it)"고 각인되어 있었다. 이 문장을 곱씹으며 자신이 나고 자란 곳에서 위대함을 찾으려 애쓴 필 나이트의 마음을 가슴에 새겼다.

아직 갈 길이 멀었다. 포틀랜드에서 다시 북쪽으로 3시간 반을 쉬지 않고 달려 시애틀에 도착했다. 캘리포니아에서 오리건, 오리건에서 워싱턴주까지 나는 그저 북쪽으로 차를 몰았다. 반면 아마존의 창업자 제프 베이조스는 무작정 서쪽으로 왔다. 동부 뉴저지에 있는 프린스턴 대학을 졸업하고 뉴욕 맨해튼에서 세 군데 직장을 거친 그는 가정을 꾸리고 창업을 결심한다. 책을 판매하는 전자상거래 회사를 세우기로 마음을 굳힌 그는 근거지만은 쉽사리 정하지 못했다. 뉴욕을 떠나 비교적 인구가 적은 주에 사업체를 열겠다는 막연한 계획 정도만 있었다. 1994년 여름, 짐을 꾸리며 맨해튼을 떠날 준비를 하던 베이조스는 여전히 최종 목적지를 정하지 못했다. 이삿짐 회사가 도착지를 묻자 베이조스는 일단 무조건 서부로 가달라고 요구했다. 아버지에게 물려받은 1988년형 쉐보레 블레이저를 몰고 아내와 함께 서부로 향하면서 베이조스는 갈 곳을 시애틀로 결정했다.

왜 서부였을까? 베이조스가 1997년부터 매년 4월 주주들에게 보낸 서한에서 힌트를 찾을 수 있다. 그는 2018년 편지 제목을 '직관, 호기심, 방황의 힘(Intuition, curiosity, and the power of wandering)'으로 짓고 이를 직접적으로 언급한다. "아마존은 설립 초기부터 호기심 많은 탐험가의 문화를 만들겠다는 확실한 비전이 있었다"고 설명하며 "탐험가는 전문가가 되어도 시작하는 사람의 마음을 잃지 않는다"고 덧붙인다. 세상에서 가장 고객 중심적인 회사를 키워내려고 노력한 야심가는 우주 사업으로 자신의 관심사를 옮기면서도 마음을 강조한다. 베이조스는 워싱턴DC에 소재한

경제클럽(The Economic Club)과 인터뷰하며 담담히 고백한다. "제 사업과 인생에서 최고의 결정들은 분석이 아닌 마음, 직관, 배짱에서 만들어졌습니다. 물론 분석에 기반해 결정할 수 있을 때는 그렇게 해야겠죠. 하지만 인생에서 가장 중요한 결정들은 언제나 직감, 직관, 기호, 마음으로 만들어진다는 것이 드러났습니다."라고 말이다.

시애틀에 도착해서 가장 먼저 한 일은 아마존의 초창기 흔적을 찾는 일이었다. 1990년대 후반 아마존 본부였던 시애틀 다운타운 2번가 1516번지는 주차빌딩으로 변모해 있었다. 아쉬운 마음에 현재 아마존 캠퍼스로 발걸음을 옮겼다. 아마존 본사 사무실의 이름은 '데이원(Day 1)'이다. 제프 베이조스는 건물명을 '첫날'로 지을 만큼 초심(初心)을 강조한다. 나이키의 필 나이트는 선심(禪心)에 천착한다. 나이트는 나이키의 최고경영자인 동시에 선(Zen) 수행자였다.

앞서 말한 나이트의 자서전 <슈독>은 스즈키 순류의 "초심자의 마음에는 많은 가능성이 있지만 숙련자의 마음에는 그 가능성이 아주 적다"는 문장을 인용하면서 시작한다. 스즈키 순류는 1959년 샌프란시스코에 터를 잡고 미국 서부에서 선불교 전파를 주도한 승려다. 그의 가르침을 정리한 책 <선심초심>의 정신을 시애틀, 포틀랜드, 샌프란시스코 등 미국 서부해안의 기업가들이 적극 받아들인 사실이 한국인인 내게 새삼스럽게 다가온다.

Ⅲ. 마음이 있다, 희망이 있다

제24화 대량해고와 미래선호

2023년 새해를 미국 샌프란시스코 금문교에서 맞았다. 캘리포니아답지 않게 지루하게 이어지던 비도 한해 첫날 쉬어간다는 일기예보를 접했다. 1월 1일 새벽, 눈을 뜨자마자 금문교 방향으로 차를 몰았다. 실리콘밸리의 수도를 자처하는 새너제이에서 샌프란시스코까지는 거리로 50마일, 약 80km 떨어져 있다. 캘리포니아 남북을 관통하는 101번 고속도로도 끝없이 내리는 비로 노면 곳곳이 움푹 패여 있었다. '가늘고 길고 강한' 수증기의 수송을 뜻하는 대기의 강 (Atmospheric River) 현상이 실리콘밸리에 몇 주째 지속된

결과다.

어둠을 뚫고 올라간 '호크힐(Hawk Hill, 매의 언덕)'에 이미 많은 이들이 와 있었다. 다들 한 손에 스마트폰을 든 채 금문교를 배경으로 떠오르는 태양을 담을 채비를 하고 있었다. 사실 금문교는 캘리포니아에서 해돋이를 볼 수 있는 가장 적합한 장소다.

널리 알려진 대로 캘리포니아주의 별칭은 골든스테이트(Golden State)다. 19세기 중반 금을 찾아서 대륙을 횡단했던 수많은 사람들은 '개혁과 갱신'을 추구하는 미국, 특히 미국 서부의 정신을 상징적으로 나타낸다. 골드러시 이후 한 세기가 지나자 이번에는 기술혁신과 창업을 위해 대규모 이주를 감행하는 일련의 흐름이 생겨났다. 미국 서부에서도 샌프란시스코만(Bay)을 둘러싼 지역에 '실리콘밸리'가 형성된 것은 분명 우연이 아니다.

오전 7시 30분 2023년의 첫번째 해가 떠올랐다. 찬란한 빛을 받은 금문교의 케이블은 세계에서 가장 유명한 현수교다운 위용을 뽐냈다. 그리고 샌프란시스코 시내의 마천루들이 배경을 뒷받침하고 있었다. 샌프란시스코에서 가장 높은 빌딩인 옥수수 모양의 '세일즈포스(Salesforce) 타워'도 선명한 윤곽선을 드러냈다. 330m의 61층짜리 건물은 2018년 완공된 후 샌프란시스코 랜드마크가 됐다. 준공과정 당시 이름은 '트랜스베이(Transbay) 타워'였지만 세일즈포스가 이 건물의 최대 세입자가 되면서 명명권까지 확보했다.

세일즈포스는 클라우드 컴퓨팅에 특화된 서비스형 소프트웨어(SaaS) 기업으로 고객관리(CRM) 시스템 분야에서 독보적인 강세를 보인다. 1999년 창업한 세일즈포스는 2004년 뉴욕증권거래소 상장시 일반적으로 쓰는 회사 약자로 종목코드를 정하지 않고 CRM으로 등록했다. 그만큼 고객관리 시스템에 공들이고 힘을 쏟고 있다.

금문교에서 세일즈포스 타워를 바라보던 새해 첫날, 일주일 후 그 건물 꼭대기에서 샌프란시스코 시내를 조망할 기대를 하고 있었다. 한국에서 올 경제사절단과 함께 세일즈포스를 방문해 접점을 찾고 미래를 논의할 요량이었다. 세일즈포스에서 국제·대외협력을 담당하는 미국인 임원은 우리의 방문 요청에 '어렵지 않다'며 긍정적 답변을 준 상태였다. 하지만 며칠 후 받은 그의 이메일은 자못 심각했다.

"뉴스를 봐서 알겠지만 오늘 회사가 직원 전체의 10% 해고를 공식 발표했습니다. 앞으로 얼마 동안 세일즈포스 경영은 감원에 모든 역량을 집중하게 됩니다. 해고되는 직원을 잘 다독여서 내보내야 하고 남아있는 팀도 신속히 재구성해야 하겠지요. 회사가 쉽지 않은 시기를 지나고 있다는 사실을 이해해 주시길."

세일즈포스가 10%를 해고하면 약 8000명이 일자리를 잃는다. 본사가 샌프란시스코에 있는 만큼 다수의 인력은 실리콘밸리의 구직시장에서 다른 기업의 문을 두드릴 것이다.

하지만 이들이 금세 직장을 찾기는 쉽지 않아 보인다. 세일즈포스 창업자이자 최고경영자인 마크 베니오프가 감원을 발표하며 쓴 표현에서 힌트를 얻을 수 있다. 베니오프는 직원들에게 이렇게 말했다. "우리는 경기침체를 헤쳐 나가기엔 너무 많은 사람을 고용하고 있다(We hired too many people leading into this economic downturn)."

경기침체 국면으로 접어들면서 다른 빅테크 기업의 사정도 녹록지 않다. 회사 이름을 '메타'로 바꿀 만큼 메타버스 서비스에 집중하고 있는 페이스북은 전체 인력의 13%를 줄였다. 1만 1,000명 이상이 직장을 잃었다. 2022년 11월, 1만명 해고를 단행한 아마존은 1만 8,000명 추가감원을 눈앞에 두고 있었다.

현시대의 가장 각광받는 기업가 일론 머스크는 트위터를 인수하고 조직의 절반인 3,700명을 해고했다. 이외에도 시스코가 4,000명, 마이크로소프트가 1,000명을 감원했다. 실리콘밸리의 탄생을 이끈 1세대 기술기업 휴렛팩커드(HP)도 6,000명 가량을 해고할 계획을 발표했다.

세일즈포스는 팬데믹을 통해 급속히 성장했다. 3년 전만해도 종사자가 4만 8,000명이었던 이 회사는 코로나19를 거치면서 8만 명까지 인원이 늘어났다. 포스트 팬데믹 국면으로 접어들면서 세계가 차츰 일상을 회복하자 온라인 서비스의 기반이 되었던 세일즈포스의 역할도 축소될 수밖에 없었다. 사람들은 보복성 온라인 소비부터 줄이기 시작했다. 또한 디지털 전환으로 대부분 활동이 온라인에서 가능하지만 인간의 존재 이유를 나타내며 보란 듯이 오프라인 활동에 나서고 있었다.

대량해고와 별개로 새로운 미래에 대한 비전을 포기하지 않고 있는 빅테크 기업의 노력도 동시에 짚어볼 필요가 있다. 2022년 3분기까지 94억 달러 손해를 봤지만 메타버스에 대한 투자와 노력을 굽히지 않고 있는 '메타'가 대표적인 경우다. 메타의 최고경영자 마크 저커버그는 "메타버스는 인터넷의 미래"라며 가상현실 기기 업체 오큘러스를 인수한 후 공격적으로 메타버스 사업을 지속하고 있다.

메타는 13%의 직원을 해고했지만 저커버그는 메타버스에 대한 투자는 줄일 생각이 없어 보였다. 물론 메타버스를 두고 완전히 새로운 세계라고 평가하는 전문가도 있지만 그저 또다른 종류의 비디오 게임에 불과하다고 보는 평론가도 있다. 저커버그의 승부수는 결국 시간이 증명할 문제다.

테크 산업은 미래주의에 의존하지만 우리는 과거의 사례를 통해 앞날을 예측할 수 있다. 시계를 20년 전으로 돌려보자. 2003년 2월, 장소는 캘리포니아의 몬테레이다. 실리콘밸리에서 남쪽으로 차로 1시간 떨어진 이곳에서 대중적 학술강의 행사인 테드(TED)가 태동했다. 초창기 테드 강연 '미래는 그것을 창조하는 자에게 달려 있다'에 아마존의 창업자 제프 베이조스가 연사로 나섰다. 당시 베이조스는 닷컴버블로 아마존이 거품 아니냐는 비판에 직면했다.

베이조스는 자신의 발표를 통해 "지금 우리는 매일 인터넷 시대의 첫날에 살고 있다"고 힘주어 말한다. 또한 "전기를 불빛을 내는 용도 이상으로 사용하세요"라는 100년 전 시어스(Sears) 백화점 광고문구를 인용하면서 "우리는 그야말로 인터넷 시대의 초창기에 살고 있다"고 강조하며 강연을 마무리한다.

미국 경기침체가 2024년까지 지속될 것이라는 분석이 나온다. 포스트 팬데믹 시대, 빅테크 기업들도 대규모 감원을 이어가면서 위기에 적극 대응하리라 예상된다. 세일즈포스 담당자의 이메일에서 봤듯이 구조조정을 통해 조직을 재정비하고 전열을 새로 짜는 방식이다. 실리콘밸리의 한 시대를 대변한 혁신가 스티브 잡스는 1991년 자신이 중퇴한 리드대학 강연에서 "기질은 호시절에 형성되지 않는다"고 말했다.

일평생 미래에 대한 자신의 비전을 증명한 스티브 잡스나 제프 베이조스를 잇는 차기 혁신가 반열에는 누가 오를까. 마크 저커버그일까. 일론 머스크일까. 아니면 아직 등장하지 않은 새로운 인물일까. 빅테크 기업이 어려움을 어떻게 극복하는지에 따라 개혁과 갱신의 주인공이 가려질 것이다.

제25화 챗GPT와 사색가능성

챗GPT에 물었다. "나는 누구인가요(Who am I)?" 챗GPT의 답은 장황했다. "인공지능 언어모델로서, 나는 개인정보에 대한 접근 권한이 없습니다. 당신은 이 창을 통해서 나와 대화하고 있는 사용자입니다." 질문을 하나 더 던졌다. "나의 이름은 무엇인가요(What is my name)?" 다시금 원론적인 대답이 돌아왔다. "당신은 내게 이름을 말한 적이 없습니다. 따라서 나는 이 질문에 답할 수 없습니다."

하지만 방금 나는 이름을 입력하고 챗GPT에 가입했다. 개인정보를 넣거나 마이크로소프트와 구글 계정 중 하나를 이용해서 가입할 수 있었다. 잘 사용하지 않는 마이크로소프트를 통해서 계정을 연결하기로 마음먹었다. 마이크로소프트가 챗GPT 개발사인 오픈AI에 100억 달러를 추가로 투자한다는 소식을 들었기 때문이다.

분명 이름을 적었는데 내가 이름을 말한 적이 없다니 의아했다. 오픈AI가 그만큼 개인정보를 철저히 관리한다는 뜻으로 해석하면 될까. 마이크로소프트가 투자한 100억 달러는 주로 어디에 쓰일까. 챗GPT를 둘러싼 나의 궁금증은 커졌다. 특히 대규모 언어모델(LLM)을 둘러싼 구글과 어느 개발자의 갈등이 떠올랐다.

2022년 6월, 한 구글 엔지니어는 대규모 언어모델 '람다(LaMDA)'가 사람이라고 주장한 후 회사에서 관리휴가를 받았다. 당사자인 블레이크 르모인(Blake Lemoine)은 상사에게 엔지니어가 만든 컴퓨터 시스템이 지각력이 있고 영혼이 있음을 고려해달라고 요청했다.

물론 구글은 여기에 동의하지 않았다. 결국 르모인은 긴 유급휴가에 들어갔고 회사를 그만둘 수밖에 없었다. 구글은 대변인을 통한 공식성명에서 "많은 연구자들이 장기적으로 지각이 있는(sentient) AI의 가능성을 고려하고 있지만 지각력이 없는 현재의 대규모 언어모델을 의인화하는 것은 말이 되지 않는다"고 발표했다.

르모인의 주장으로 실리콘밸리의 인공지능 개발자 집단은

뜨겁게 달아올랐다. '잘못된 의인화(anthropomorphizing)' 개념이 르모인의 행동을 분석하는 도구로 쓰였다. 챗GPT와 같은 대규모 언어모델의 대답은 기본적으로 자동완성과 같다. 대답에는 인지와 지각과 이해가 없다. "나는 개와 고양이를 사랑합니다"고 대답해도 대규모 언어모델은 개와 고양이가 무엇인지 모른다는 뜻이다.

따라서 르모인의 주장은 많은 이의 지지를 받지 못했다. 동시에 생각해볼 문제는 챗GPT와 같은 대규모 언어모델이 신뢰할 만한 응답을 제시했을 때 우리는 어떤 기계가 아닌, 어떤 사람을 떠올리는 경향이 있다는 것이다. 나도 그랬다. 내가 던진 질문에 답을 만들어내는 커서의 움직임을 보면서 미지의 공간에서 타자를 치는 인물을 상상하고 있었다. 나 역시 챗GPT를 의인화한 것이다.

르모인 해고 사례에서 보듯 현재 인공지능에 대한 과도한 의인화는 많은 이들의 공감을 사지 못한다. 구글 대변인의 성명에서 보듯 어쩌면 지각이 있는 대규모 언어모델이 현실화되려면 오랜 시간이 필요할는지도 모르겠다. 보다 가치가 있는 논의는 AI가 이미 우리 일상의 커다란 일부가 되었다는 사실이다. 대규모 언어모델을 둘러싼 마이크로소프트와 구글의 경쟁에서 보듯 빅테크 기업은 새로운 시스템을 개발하기 위한 작업에 대규모 자본을 투입하고 있다.

이미 인공지능은 실시간으로 번역 서비스를 제공하고 자

율주행차를 운전하고 사람들이 무슨 의료서비스를 받을지까지 결정한다. 앞으로는 전쟁터에서 치명적인 무력을 사용할지 여부를 결정하는 최종권한을 가질 수도 있다. 이처럼 우리는 인공지능에게 보다 많은 선택권을 부여하는 방향으로 나아갈 것이다.

거대한 흐름을 거스를 수 없다고 가정할 때 결국 우리에게 요구되는 능력은 인공지능을 주체적으로 사용할 수 있는 힘이다. 인공지능은 우리의 삶을 쉽고 효율적으로 만들고 있다. 하지만 그것에 의미를 부여하는 능력은 아직도 인간의 영역이다. 르모인의 주장과 달리 인공지능은 지각력이 없다고 보기 때문이다.

<생각을 빼앗긴 세계>의 저자 프랭클린 포어는 인공지능에 기반한 빅테크 기업의 서비스가 인간이 가진 소중한 무엇인가를 빼앗고 있다고 주장한다. 그리고 인간은 그에 대응해 '사색가능성(possibility of contemplation)'을 회복해야 한다고 말한다. 결국 챗GPT에게 "나는 누구입니까?"라고 물은 나는 어리석었다. 사색가능성은 인간의 영역이기에 나는 나 자신을 정의하기 위해 눈감는 순간까지 수많은 생각과 경험을 해야만 할 것이다.

챗GPT와 관련해 또 한가지 생각해볼 문제는 에너지다. 2023년 초 구글과 마이크로소프트는 검색엔진에 대한 대대적인 개편안을 발표했다. 두 회사 모두 대규모 언어모델을

사용하는 생성형 AI를 구축하는 데 많은 돈을 쏟아붓고 있다. 앞서 말한 마이크로소프트가 오픈AI에 100억 달러를 투자하기로 결정한 사실이 이를 증명한다.

고성능 AI 기반 검색엔진을 구축하기 위한 경쟁은 결국 컴퓨팅 성능의 극적인 향상이 수반되어야 한다. 이를 조성하기 위해 빅테크 기업이 사용하는 에너지와 탄소배출량을 생각해볼 필요가 있다. 특히 검색엔진에 생성형 AI를 통합하는 과정에서 대규모 처리센터에 필요한 전력과 냉각 자원이 기하급수적으로 늘어날 것이다.

챗GPT 개발사인 오픈AI와 구글은 생성형 AI를 탑재하는 데 필요한 컴퓨팅 비용이 얼마인지 밝히지 않았다. UC버클리 대학 보고서에 따르면 챗GPT가 부분적으로 기반하는 GPT-3 트레이닝은 1287MWh 전력을 소비하고 550톤의 이산화탄소를 배출한다. 한 사람이 샌프란시스코에서 뉴욕을 550번 왕복하는 것과 같은 양이다.

전문가들은 현재 방식의 검색 프로세스에 생성형 AI를 추가하면 검색당 최소 5배 많은 컴퓨팅이 필요할 것으로 분석하고 있다. 게다가 사용자의 요구사항을 충족하려면 모델을 보다 자주 트레이닝하고 계속해서 매개변수를 추가해야 한다. 에너지 규모는 더욱 커질 수밖에 없다.

국제에너지기구(IEA)에 따르면 데이터센터는 현재 전세계 온실가스 배출량의 1%를 차지한다. 배출규모는 클라우드 컴퓨팅 수요가 늘면서 증가할 것으로 예상되지만 빅테크 기업은 지구온난화에 대한 영향을 줄일 수 있다고 말한다. 엔지니어들이 보다 효율적인 트레이닝 기술을 개발하고 있으며 학습모델은 필요한 부분만 실행되도록 잘게 쪼갤 수 있다고 주장한다.

하지만 AI의 정확도를 높이는 작업은 일반적으로 더 복잡한 모델이 더 많은 데이터를 선별한다는 뜻이다. 오픈AI의 GPT-2 모델은 데이터를 평가하는 데 15억개의 매개변수를 사용했지만 GPT-3에서는 1750억개로 늘어났다. 이는 AI의 효율성을 높이는 과정에서 지속가능성까지 확보하기가 어렵다는 점을 시사한다.

테크기업 출신 작가 애나 위너는 <언캐니밸리>에서 실리콘밸리의 감춰진 측면을 다뤄 호평을 받았다. 위너는 책에서 지금 보편화된 클라우드 서비스를 다른 시각으로 해석한다. 그는 "클라우드는 미국 텍사스 중부나 아일랜드의 코크 또는 독일 바이에른에 위치한, 간판도 달리지 않은 데이터센터에 불과했으나 그런 건 아무도 신경 쓰지 않았다"고 담담히 서술한다.

챗GPT를 사용하면서 쉴새없이 돌아가는 컴퓨팅 트레이닝 센터를 떠올리는 사람은 많지 않을 것이다. 하지만 이면에도 분명히 현실이 있다. 내가 의존하는 무료 서비스가 지구적 차원에서 보면 결코 공짜가 아니라는 사실을 사용자로서 틈날 때마다 환기해야겠다. 챗GPT를 이용하고 나니 여러 면에서 더욱 혼란스러워진다. 아직까지는 인간의 사색가능성을 믿고 싶다.

제26화 실리콘밸리와 샌타클래라

거주하는 집에서 멀지 않은 곳에 실리콘밸리은행(Silicon Valley Bank, SVB) 본사가 있었다. 근무하면서 종종 찾는 로컬 커피숍과 붙어 있어서 낯설지 않은 동네다. 지도 앱을 열어 확인하니 집에서 2.5마일, 약 4㎞ 떨어져 있다. 걸어가도 한 시간이 채 걸리지 않는 거리다.

한산한 토요일 아침, 자동차로는 5분이 걸렸다. 네덜란드 탐험가 '타스만(Tasman)'의 이름이 붙은 도로 3003번지에 위치한 실리콘밸리은행 본사 앞에는 이미 여러 대의 방송 카메라가 설치됐다. 중계차를 통해 보도를 준비하는 리포터의 모습도 보였다. 스마트폰을 들고 본사 건물을 돌면서 SVB 간판 앞에서 개인 방송을 하는 유튜버도 여럿 있었다. 2023년 3월 11일 오전 10시 실리콘밸리은행 본사 풍경이다.

실리콘밸리은행 본사를 찾기 바로 전날, 캘리포니아 금융 규제 당국은 SVB 자산 몰수를 발표했다. 캘리포니아주 금융·보호혁신부(Department of Financial Protection and Innovation, DFPI)는 미국 서부시각 2023년 3월 10일자로 공식자료를 배포했다. 캘리포니아 금융법 592조에 따라 실리콘밸리은행을 폐쇄하고 자산을 몰수한다는 내용이다. DFPI 최고책임자인 클로틸드 훌렛이 서명한 몰수 명령서도 공개했다. 이유로는 불충분한 유동성(liquidity)과 지불불능(insolvency)을 들었다. DFPI는 실리콘밸리은행이 샌타클래라에 본사를 둔 캘리포니아 인가 상업은행이자 연방준비제도(FRS) 회원임을 자료에서 밝혔다. 2022년 말 기준, 총자산이 2,090억 달러이며 총예금이 1,754억 달러라고 명기했다.

캘리포니아 금융규제 당국은 은행 자산을 몰수한 다음 연방 차원으로 공을 넘겼다. DFPI는 자료 말미에 연방예금보험공사(Federal Deposit Insurance Corporation, FDIC)를 실리콘밸리은행의 수탁기관(receiver)으로 지정했다. 이에 따라 예금은 FDIC 지급한도에 따라 연방 차원에서 보호된다. 연방예금보험법에 따르면 단일계좌당 지급한도는 25만 달러다.

공을 넘겨받은 FDIC도 공식자료를 내고 진행경과를 밝혔다. FDIC는 예금자 보호를 위해 '샌타클래라 국가예금보험은행(Deposit Insurance National Bank of Santa Calra, 샌타클래라은행)'부터 설립했다. 실리콘밸리은행 폐쇄와 동시에 모든 예금은 샌타클래라은행으로 이체됐다. 이에 따라 FDIC는 실리콘밸리은행 지점의 영업시간을 기존대로 유지하고, 온라인뱅킹을 포함한 모든 서비스를 재개하며, 발행된 공식수표는 계속 처리(clear)하겠다고 발표했다. 대출고객은 예전과 같이 금액상환을 계속해야 한다는 점도 고지했다. 은행 폐쇄에 따른 혼란을 최소화하겠다는 의지가 읽힌다.

여기까지는 국내 언론에도 실시간으로 전해진 소식이다. 미국 주식시장이 받은 충격과 세계경제에 미칠 혼란을 예측하는 기사가 쏟아지고 있다. 나까지 비슷한 시각으로 접근해 일률적으로 해석할 필요는 없을 것이다.

한가지 아쉬운 점은 캘리포니아 금융보호혁신부와 미국 연방예금보험공사가 공식 보도자료를 배포하고 온라인으로 전문을 공개했음에도 대다수 우리 언론이 이보다는 1차 가공된 외신을 토대로 소식을 전한 사실이다. 외신 역시 미국 정부가 낸 입장에 기반해 뉴스를 생산하므로 한국어 사용자로서는 2차 가공된 우리말 소식에 아쉬움이 남을 수밖에 없다.

일련의 사태를 간단히 정리하자면 이렇다. 창업가와 스타트업을 주고객으로 상대하는 실리콘밸리은행이 파산했다. 캘리포니아 주정부가 나서 은행을 폐쇄하고 자산을 몰수했다. 몰수한 자산을 연방정부로 넘겼다. 이제 연방국가 차원에서 샌타클래라은행을 설립하고 자산과 서비스를 관리한다.

내가 주목하는 지점은 사업자는 '실리콘밸리'라는 이름을 내세워 비즈니스를 해왔지만 국가는 '샌타클래라' 간판을 내걸고 문닫은 은행을 수습하고 있다는 사실이다. 왜 그럴까. 실리콘밸리와 샌타클래라에는 무슨 차이가 있을까.

실리콘밸리은행이 창업한 시점은 1983년 10월 1일이다. '실리콘밸리'라는 개념은 그로부터 약 13년 전에 처음 등장했다. 1970년 1월 11일, 미국 저널리스트 돈 호플러(Don Hoefler)는 샌프란시스코만을 둘러싼 지역에서 급성장 중인 반도체산업을 다루는 시리즈 기사를 쓴다. 뉴욕 전자뉴스(Electronic News) 1면에 실린 기사 제목은 '미합중국 실리콘밸리(Silicon Valley U.S.A.)'였다.

호플러는 샌타클래라 밸리에 자리잡은 반도체 회사들을 지칭하는 용어로 반도체를 만드는 물질 '규소(Silicon)'를 갖다 붙였다. 호플러가 1986년에 사망했으니 실리콘밸리은행이 문여는 모습을 분명 지켜보았을 것이다.

샌타클래라밸리가 실재하는 공간이라면 실리콘밸리는 엄밀히 말해 가상의 개념이다. 눈에 보이지 않고 손에 잡히지 않는 실리콘밸리를 이해하는 가장 빠른 방법은 수치를 살펴보는 것이다. 다행히 '조인트벤처 실리콘밸리'라는 기관과 지역학연구소가 힘을 모아 1995년부터 매년 초 실리콘밸리 색인(Silicon Valley Index)을 발간한다. 2023년 2월에 나온 2023 실리콘밸리색인은 '실리콘밸리는 무엇인가(What is Silicon Valley)'라는 질문을 던지면서 시작한다.

색인의 설명에 따르면 실리콘밸리는 지난 50년 동안 기술혁신으로 세계를 재편하며 가파르게 성장한 역동적 지역 경제다. 하지만 실리콘밸리의 지리적 경계는 정의하기 어렵다고 덧붙이고 있다. 색인은 샌타클래라 카운티에서 시작된 실리콘밸리가 현재 샌머테이오, 샌타크루즈, 앨러미다 카운티까지 확장되었다고 본다. 그러면서도 가장 유명한 샌프란시스코와 버클리는 실리콘밸리에 포함하지 않고 있다.

이 정의를 바탕으로 통계를 조금 더 살펴보자. 2023년 실리콘밸리에는 300만 명이 산다. 일자리수는 163만 개다. 평균 연봉은 약 18만 달러다. 미국에서 태어난 사람이 61%고 미국 외 출생자가 39%였다. 성별은 남성이 52%, 여성이 45%다. 3%는 성별 구분을 거부했다. 인종은 백인이 30%, 히스패닉이 25%, 아시아계가 37%를 차지했다. 아시아계를 세부적으로 구분하면 중국계가 전체의 12%, 인도계가 8%, 베트남계가 5%, 필리핀계가 5%다. 한국은 전체의 7%에 속하는 기타 국가 중 하나로 분류됐다.

이 통계는 실리콘밸리의 추이와 현황을 살피는 데에 분명 도움이 되지만 정부 차원의 공신력을 확보하지는 못한다. 미국 노동부의 정의에 따르면 실리콘밸리는 앞서 언급한 4개 카운티 말고도 샌프란시스코 카운티와 콘트라코스타 카운티를 포함한다. 이 기준대로면 유명도시인 샌프란시스코와 버클리도 실리콘밸리에 해당된다.

더욱 급진적인 시각으로 나아가면 실리콘밸리를 지리적 경계를 뛰어넘어 하나의 사고방식(mindset)이자 기업가정신(entrepreneurship)으로 해석하는 사람들도 존재한다. 미국 내에서도 실리콘밸리 개념에 대한 공통된 이해를 갖추기가 어려운 점을 방증하고 있다.

실리콘밸리은행이 문을 닫으면서 이제 국가가 나서서 자산을 관리한다. 미국정부는 실재하는 지역을 바탕으로 이번 사태를 수습해나갈 수밖에 없다. 국가예금보험은행을 설립하면서 실리콘밸리가 아니라 본사가 위치한 샌타클래라를 이름으로 내세운 까닭이다. 실리콘밸리가 이상을 상징한다면 샌타클래라는 현실을 가리킨다.

혁신과 테크놀로지는 태생적으로 이상과 미래주의를 지향하지만 현실에 철저히 기반하지 않는다면 언제든지 무너질 수 있음을 실리콘밸리은행 폐쇄 사태가 보여주고 있다.

제27화 슐츠와 피츠와 테슬라

수많은 카메라가 한 남성을 둘러싼다. 다소곳한 자세로 의자에 앉은 그는 두손을 모은 채 정면을 응시한다. 가벼운 미소를 띤 채 회의가 시작되기를 기다리는 그의 앞에는 12 온스, 약 355ml 크기의 하얀색 텀블러가 놓여 있다. 흰 바탕에는 초록색 인어 로고가 선명하다. 2011년부터 자사 상표에서 과감히 이름을 뺐지만 이 커피 브랜드가 무엇인지 모르는 사람은 지구상에 없다. 세계에서 가장 유명한 커피 회사, 바로 스타벅스다.

스타벅스의 창업자나 다름없는 하워드 슐츠가 미국 동부

시각 2023년 3월 29일 수요일 오전 10시 연방 상원 청문회에 등장했다. 청문회의 제목은 '법 위에 있는 회사는 없다(No company is above the law)'였다. 조합(union)에 가입한 스타벅스 직원에게 회사 차원에서 불이익을 주었는지가 청문회 쟁점이었다. 슐츠를 청문회로 불러낸 인물은 미국 대통령에도 도전한 유명정치인 버니 샌더스였다. 슐츠와 샌더스의 대립 등 청문회의 주요내용이 국내 언론에도 실시간으로 전파되었으므로 나까지 같은 이야기를 반복할 필요는 없겠다.

스타벅스의 시작은 어디일까. 많은 이들이 스타벅스 1호점이 위치한 시애틀을 가리키겠지만 스타벅스의 초창기 역사에서 실리콘밸리 지역이 중요한 역할을 했다. 여기서 정의하는 실리콘밸리는 샌프란시스코와 버클리까지 포함한 광역의 지역개념이다.

스타벅스를 창업한 인물은 20대 청년 3명이다. 제리 볼드원과 고든 보커, 지브 시글은 1960년대 후반 샌프란시스코대학(USF)을 다니면서 룸메이트로 처음 만났다. 이들이 절친한 관계를 맺고 대학생활을 하던 1960년대 말, 실리콘밸리에는 다양한 기술·문화적 흐름이 존재하고 있었다.

우선 방위산업의 성장으로 샌프란시스코만을 둘러싼 지역에서 최첨단 기술혁명이 꿈틀댔다. 기술 발전에 따라 전자회사, 마이크로칩 제조사, 비디오게임 개발사, 컴퓨터 회사들이 빠른 속도로 생겨났다. 이때 컴퓨터광들이 중심이 된 하위문화(subculture)도 실리콘밸리에서 꽃을 피우기 시작했다.

주목할 만한 또 다른 물줄기는 문화적 흐름이다. 샌프란시스코 비트 세대(Beatnik)를 주축으로 일어난 히피운동, 버클리대학의 언론자유 운동에 힘입은 저항적 움직임이 커다란 물결을 형성했다. 이런 사회·문화적 분위기 속에서 60년대 말 샌프란시스코만 지역에는 개인적 깨달음과 자유에 이르는 길을 추구하려는 시도가 차츰 퍼져나갔다. 선불교와 힌두교, 명상과 요가, 감각차단을 통한 잠재력 계발 운동 등이 청년들의 각광을 받았다.

커피는 당시 새로운 세계를 모색한 젊은이들이 위안을 얻었던 음료다. 스타벅스의 창업자 3인도 마찬가지였다. 샌프란시스코대학에 다니던 시절, 이들의 아지트는 옆동네 버클리에 있는 피츠(Peet's) 커피숍이었다. 네덜란드 출신 이민자 알프레드 피트가 1966년 문을 연 이곳에는 유럽식 강배전 원두커피에 목말라 있던 지식인과 대학생들의 발걸음이 이어졌다.

스타벅스의 창업자 3인도 학생 시절 피츠커피를 마시며 글을 쓰고, 방송을 하고, 고전음악을 감상하고, 고급요리를 즐겼다. 대학을 졸업하고 샌프란시스코를 떠나 시애틀로 가서도 피츠커피의 원두를 우편으로 받아서 내려마셨다. 하지만 배송 과정에서 원두의 신선도가 떨어지기 일쑤였다. 결국 이들은 1971년 시애틀에서 스타벅스를 창업한다. 커피 원두를 파는 소매점에 불과했던 초창기 스타벅스의 모델은 분명 피츠커피였다. 3인의 창업자는 피츠커피의 알프레드 피트를 스타벅스의 정신적 대부(Spiritual Godfather)로 표현할 정도였다.

스타벅스의 현재를 만든 하워드 슐츠는 1982년 회사에 합류했다. 뉴욕 브루클린의 노동자 가정 출신인 그는 스타벅스의 분위기에 반해 안정된 직장을 버리고 20대 후반 시애틀에서 새로운 여정을 시작한다. 미국 전역에 커피숍 문화를 전파하겠다는 남다른 비전을 품고 있던 슐츠와 커피의 정통성에 천착했던 3인의 창업자는 몇년 지나지 않아 충돌한다. 결국 슐츠는 자신의 이상을 실현하기 위해 스타벅스를 나와 새로운 커피 브랜드를 창업하지만 여전히 스타벅스에 대한 미련을 버리지 못하고 있었다.

그동안 스타벅스는 피츠커피를 인수하는 무모한 결정을 내린다. 커피 순수주의자나 다름없었던 스타벅스의 창업자들에게 피츠커피는 자신들의 뿌리였다. 하지만 두 회사를 경영하기 위해 샌프란시스코와 시애틀을 오가던 그들은 얼마 지나지 않아 위기에 빠진다. 근본을 찾아 떠났던 그들은 1987년 스스로 창업한 스타벅스 브랜드를 시장에 매물로 내놓고 피츠커피 운영에 집중한다. 때를 놓치지 않고 스타벅스를 인수한 인물이 바로 하워드 슐츠다.

1987년 8월, 스타벅스 최고경영자가 된 슐츠는 미국 전역 나아가 전세계에 커피 문화를 재창조하려는 자신의 이상을 직원들에게 설파했다. 기대와 달리 반응은 시원치 않았다. 슐츠가 스타벅스에서 일하던 2년 전과 달리 직원들의 의욕과 사기가 형편없이 떨어져 있었기 때문이다. 창업자들이 피츠커피를 인수하고 두 살림을 하면서 스타벅스가 자랑하던 경영자와 직원 사이의 상호존중 문화에 점점 균열이 생겨났다. 이때 처음으로 직원 투표를 통해 조합이 결성되었다. 슐츠는 스타벅스를 인수한 뒤 직원들의 신뢰를 회복하기 위해 최선의 노력을 다했다. 직원들을 파트너라고 불렀고 소매업계 최고 수준의 시급을 보장했다. 주 20시간 일하는 파트타임 직원에게도 의료보험 혜택을 적용했다. 전국구 회사로 성장한다는 목표를 실현하기 위해서는 직원의 신뢰가 필수적이었다.

하워드 슐츠가 스타벅스를 인수한 지 만 35년이 지났다. 2023년 미국 전역의 스타벅스 점포수는 1만 5,900개가 넘는다. 피츠커피는 334개를 운영 중이다. 이 가운데 242개가 캘리포니아에 있다.

역사에 가정은 없다지만 세명의 창업자가 계속 남아 있었다면 스타벅스의 현재는 어떤 모습일까. 커피의 정통성에 천착했던 그들은 '커피는 대중적인 음료가 아니다'고 생각했다. 각을 잡고 우아하게 내려 마시는 원두커피만이 진짜였다. 반면 슐츠의 철학은 미국인 아니 세계인 누구라도 맛있는 커피 한잔을 즐길 수 있는 여유를 누려야 한다는 쪽이었다. 그는 지식인이든 노동자든 스타벅스 커피를 마시는 순간만은 동일한 문화적 성취감을 느낄 수 있을 것으로 내다봤다.

실리콘밸리에서 가장 빨리 문을 여는 커피숍은 프리몬트 지역에 있다. 프리몬트 미션(Mission) 대로에 위치한 스타벅스는 매일 오전 4시에 개점한다. 프리몬트는 전기차 회사 테슬라 공장이 있는 곳으로 유명하다. 새벽잠을 설치던 나는 차를 몰고 프리몬트 스타벅스로 향했다. 브루커피 한잔을 시킨 다음 노트북을 펼쳤다. 자판을 두들기는 와중에도 수많은 새벽 노동자들이 스타벅스를 드나든다. 그들의 허리춤에는 테슬라 출입증이 붙어있다.

기가프레스 공법을 사용하는 미래 모빌리티 공장의 노동자들은 새벽 4시에 문을 여는 유일한 커피숍에서 잠을 깨우며 하루를 시작하고 있었다. 슐츠가 스타벅스를 통해 이루고자 했던 대중적 커피문화의 실증사례나 다름없다.

슐츠의 청문회를 보면서 가장 흥미로운 지점은 각자의 영역에서 더 나은 세상을 만들려는 정치인과 기업가의 양보없는 대결이었다. 버니 샌더스는 하워드 슐츠를 조합 파괴자(union buster)로 규정하려고 애썼지만 그럴 때마다 슐츠는 경영자와 직원이 상호존중하는 문화를 만들어온 일생의 노력을 호소했다. 두 사람의 입에서 모두 아메리칸 드림이라는 단어가 등장했던가. 눈에 보이지 않는 가치를 두고 치열한 언쟁을 이어가던 두 인물의 모습에 한명의 직업인으로서 새삼 커다란 자극을 받았다.

제28화 버클리 도서축제와 픽사

문화가 혁신을 낳는다. <생각을 빼앗긴 세계>의 저자 프
랭클린 포어는 책에서 실리콘밸리의 기원을 다루며 말한다.
"혁신은 마술처럼 갑자기 나타나거나 단순히 과학적 논리대
로 진행되는 것이 아니다. 문화가 혁신을 낳는다"고 말이다.
실리콘밸리 생태계의 형성에는 정치·경제·사회·군사적 요인
이 복합적으로 작용했지만 학술·문화적 배경도 빼놓을 수
없다. 특히 세계 최고 수준의 대학을 둘이나 보유한 까닭에
세상을 새롭게 하려는 인재들을 자연스럽게 품을 수 있었
다.

두 개의 종합대학은 바로 스탠퍼드와 UC버클리다. 산학협력의 시초로 알려진 스탠퍼드대학과 자유발언운동(Free Speech Movement)으로 대표되는 사상의 진보를 이끈 UC버클리는 실리콘밸리 생태계를 떠받치고 있는 공고한 학문적 대들보다. 지표로 봐도 그렇다. 경제지 포브스가 매년 발표하는 미국대학 순위에서 2021년 1위는 UC버클리, 4위는 스탠퍼드였다. 2022년에는 MIT에 이어 스탠퍼드와 UC버클리가 공동 2위를 차지했다. 아이비리그로 상징되는 미국 동부의 명문대학 연합에 견줄 만한 지식공동체가 미국 서부, 특히 실리콘밸리를 중심으로 형성되어 있다.

어느 주말, 샌프란시스코와 새너제이를 연결하는 광역철도를 타고 UC버클리를 찾았다. 미국에서 공부한 적은 없지만 대학이 주는 자극이 필요할 때마다 애써 캠퍼스를 방문한다. 안정되고 정갈한 스탠퍼드대학보다는 역동적이고 한껏 자유로움이 느껴지는 UC버클리의 분위기에 끌리는 게 사실이다. 이번 방문에는 특별한 목적이 있었다. 2023년 5월 6일부터 이틀 동안 버클리 시내에서 제9회 베이 지역 도서축제가 열렸기 때문이다. 생성형 인공지능과 경쟁해야 하는 이 시대의 인간에게 책이 무슨 의미인지 힌트를 얻고 싶은 욕구가 컸다. 사실 이건 표면적인 이유다. 싱어송라이터이자 인권운동가인 조안 바에즈(Joan Baez)가 연사로 나선다는 소식을 듣고 무엇보다 마음이 동했다.

1960~1970년대를 풍미한 포크가수 조안 바에즈는 젊은 시절 밥 딜런과 스티브 잡스의 연인으로도 유명하다. 실리콘밸리의 역사를 통시적으로 되짚어보기를 즐기는 나에게는 그녀가 고등학생 시절 행동으로 옮긴 '시민불복종(civil disobedience)'이 무엇보다 깊은 인상으로 남았다. <월든>의 작가이자 철학자 헨리 데이비드 소로가 주창한 그 '시민불복종' 말이다.

때는 1958년 2월 6일, 장소는 스탠퍼드대학 캠퍼스가 있는 팔로알토(Palo Alto)다. 팔로알토 고등학교를 다니던 조안 바에즈는 졸업을 한해 앞두고 프랑스어 수업 중 재난대비 방위훈련에 동참하라는 요청을 받는다. 거창하게 들리지만 전교생이 학교를 일찍 파하고 집에 가서 지하실에 숨는 방식으로 훈련은 진행됐다. 많은 학생들이 이 훈련을 오후 하우스파티에 가는 기회로 받아들였지만 바에즈는 하교를 거부하고 교실에 남았다.

물리학 교수였던 아버지도 재난대비 방위훈련이 전혀 실효적이지 않다며 고등학생 딸을 지지한다. 조안 바에즈의 하교 거부 소식은 다음날 지역언론 '팔로알토 타임스'에 비중있게 실리며 그녀는 유명세를 얻는다. 반문화(反文化, counterculture)를 상징하는 포크가수로서의 저항적 행보가 이때부터 시작된 것이다.

실리콘밸리의 탄생을 언급할 때 간과하기 쉬운 부분이 바로 반문화의 역할이다. 스탠퍼드대학 커뮤니케이션학 교수 프레드 터너(Fred Turner)는 2006년 발간한 책 <반문화에서 사이버문화로(From Counterculture to Cyberculture)>에서 실리콘밸리 생태계가 만들어지는 과정의 정서적 배경이 된 반문화를 탐구한다. 아쉽게도 이 책은 아직까지 한국에 번역·출판되지는 않았다. 터너에 따르면 1950년대 비트문학(Beatnik) 사조를 이끌었던 샌프란시스코, 1960년대 자유발언운동의 중심이 된 버클리로 젊은이들이 모여들면서 세상을 바꾸려는 일련의 흐름이 베이 지역에 형성된다.

1970년대 실리콘밸리 히피세대의 교본과 같은 책이 <홀어스카탈로그(Whole Earth Catalog)>다. '도구로 접근하는 통로'라는 부제가 붙은 이 잡지는 개인용 컴퓨터로 새로운 세계를 꿈꾸던 당시 청년들에게 큰 영감을 불어넣었다. 영향을 받은 대표적 인물이 스티브 잡스다. 그는 스탠퍼드대 졸업축사에서 '홀어스카탈로그'를 종이판 구글로 칭하며 마지막 발간본 구호인 "늘 배고프게, 늘 우직하게(Stay Hungry, Stay Foolish)"로 연설을 마친다.

기술로 다른 세계를 상상하던 초창기 실리콘밸리의 사람들에게 예술로 자극을 준 조안 바에즈를 만난다는 설렘은 곧 실망으로 바뀌었다. 시간에 맞춰서 버클리의 '화물과 구조(Freight and Salvage)' 공연장으로 찾아갔지만 이미 표는 매진됐다. 혹시 신용카드는 받지 않을지 몰라 준비한 15

달러를 쥐고 있는 손이 머쓱해 보였다. 안타까운 마음을 뒤로한 채 매표소를 빠져나와 버클리 시내를 정처 없이 걸었다.

문득 근래에 읽었던 책 하나가 떠올랐다. 잡스와 함께 픽사를 설립한 창업자 에드 캣멀의 책 <창의성 주식회사(Creativity Inc.)>다. 한국어로는 '창의성을 지휘하라'는 제목으로 번역됐다. 이 책에서 캣멀은 픽사의 스튜디오가 생뚱맞은 곳에 자리잡은 이유를 설명한다. 픽사 본사는 버클리와 인접한 에머리빌(Emeryville) 지역에 있는데, 공장지대 한가운데에 첨단산업 스튜디오가 들어선 셈이다. 한창 바에즈의 강연이 진행되는 동안 픽사로 발걸음을 돌렸다.

2000년 에머리빌 캠퍼스로 옮기기 전까지 픽사는 더욱 외딴곳에 있었다. 에머리빌에서 20km 떨어진 포인트 리치먼드 시절, 픽사에서는 창밖으로 굴뚝과 파이프와 육중한 기계가 보였다. 맞은편에 셰브런 정유공장이 있었기 때문이다. 픽사는 왜 후미진 곳에 터를 잡았을까. 에드 캣멀은 '창의성 주식회사'에서 픽사의 캠퍼스를 이렇게 묘사한다. "실리콘밸리와 할리우드에서 어느 정도 거리를 둔 장소에 섬처럼 떨어진, 영화나 컴퓨터 산업 문화에 치우치지 않고 영화산업 인재도 컴퓨터산업 인재도 두루 포용할 수 있는 커뮤니티"라고 말이다.

1995년 세계 최초로 100% 컴퓨터그래픽 장편 애니메이션을 선보이며 세상을 놀라게 한 픽사가 반문화의 조류를 이끌었던 버클리 근교에서 작업을 지속했다는 사실은 시사하는 바가 크다. 기술과 예술의 만남이라는 새로운 영역을 창조하려는 이들에게 기존의 문법과 주류의 시각은 거리를 유지해야 할 대상이었다. 이는 1970년대 반문화가 지향했던 가치와 적확히 일치한다.

픽사뿐 아니라 많은 실리콘밸리 빅테크 회사들은 여전히 반문화 가치를 기업 철학으로 내세우고 있다. 세계에서 가장 커다란 부를 축적했음에도 '다름을 생각하라'고 속삭이고 '사악해지지 말자'고 말한다. 한발 나아가 이제 문화를 넘어 종교적 가치까지 기업 안에서 소화하려는 움직임을 보인다.

UC버클리의 사회학 교수 캐롤린 첸(Carolyn Chen)은 2022년 발간한 책 <일하고 기도하고 코딩하라(Work Pray Code)>에서 '실리콘밸리의 일이 종교가 되어가는 현상'을 탐구한다. 캠퍼스에 명상, 요가, 마음챙김 공간을 만들어 직원들이 평온한 상태로 일할 수 있도록 돕는 차원을 넘어 "세상을 구한다"는 회사의 비전과 직원들의 자기실현 의지를 동일화하려는 빅테크 기업의 시도를 분석하고 있다.

실리콘밸리를 기술의 최첨단으로만 보는 시각이 우리나라에서는 일반적이다. 이를 넘어서 사회·문화·정치·종교적으로 베이 지역의 변화 흐름을 인식할 수 있다면 한국식 혁신의 실마리를 잡기가 한결 수월할 것이다. 특히 한 명의 애서가로서 스탠퍼드나 UC버클리에서 발간된 실리콘밸리의 여러 면모를 다룬 책이 보다 많이 번역 출판되었으면 좋겠다.

제29화 사우스웨스트, 혁신과 즐거움

새파란 원색 유니폼을 입은 중년여성이 마이크를 들고 탑승객의 긴장을 풀기 시작한다. 미국 항공업계의 혁신을 이뤄낸 기업답게 엄숙함은 일찌감치 내려놓았다. 유쾌한 말솜씨로 승객들의 참여를 유도하는 모습이 마치 한편의 짧은 모노드라마 같다.

"오늘 생일인 분 있어요? 우리 박수 한번 쳐드립시다. 결혼기념일인 분은요? 오, 없네요. 혹시 이혼기념할 사람은 없나요? 다행히 없군요. 끝으로 현역 혹은 퇴역군인 있어요? 오, 저기 있네요. 감사합니다. 이따가 음료 공짜로 드릴

게요, 스낵도 하나 더 드세요." 미국 중저가항공인 사우스웨스트(Southwest)의 기내 풍경이다.

사우스웨스트는 미국 최대, 아니 세계 최대 저비용항공사(LCC)다. 비행기 보유대수로도 매출액으로도 세계에서 가장 크다. 통계에 따르면 사우스웨스트는 2023년 726대의 비행기를 운영하고 있다. 2위인 아일랜드 기반 유럽 항공사 라이언에어(Ryan Air)보다도 200대 이상 많은 숫자다. 매출액을 적용하면 차이는 더욱 벌어진다. 사우스웨스트항공의 2022년 매출은 157억 9,000만 달러로 2위를 기록한 미국기업 제트블루(JetBlue)보다 2.5배 이상 많았다.

부끄럽지만 미국에 오고 1년이 넘도록 사우스웨스트항공의 존재를 몰랐음을 고백한다. 포드주의(Fordism)가 탄생한 나라에서 일하다 보니 웬만한 장거리는 자동차로 이동해야 한다는 강박관념이 있었다. 2022년 처음으로 미국 동부에 갈 일이 생겼다. 내심 비트문학을 대표하는 작가 잭 케루악의 소설 <온더로드(On the Road)>의 배경이 된 66번 국도를 따라 차로 드넓은 대륙을 횡단하고 싶었다. 밥벌이하는 사람으로서 편도 4,000㎞짜리 로드트립은 먼 훗날로 미룰 수밖에 없었다.

샌프란시스코에서 뉴욕으로 가는 비행기를 예약했다. 아메리칸, 유나이티드와 함께 미국 3대 항공사로 꼽히는 델타(Delta) 항공을 선택했다. 다만 올 때는 일부러 경유지를 추가하기로 마음먹었다. 실리콘밸리와 더불어 서부 혁신생태계를 대표하는 시애틀에서 하룻밤을 묵고 일터로 돌아오기로 했다. 여독을 풀고 3시간 시차를 재빨리 극복하기 위한 하나의 의식(ritual)을 치르고 싶었기 때문이다. 그렇다. 시애틀에 꼭 들러야만 했다.

미네타 새너제이 공항에서 근무 중인 사무실까지 거리는 약 4㎞다. 차로 7분이면 오갈 수 있다. 새벽 비행기를 타면 여유롭게 정시출근이 가능할 터였다. 곧장 비행기를 알아봤다. 사우스웨스트가 오전 5시 35분에 시애틀을 출발해 오전 7시 40분에 새너제이에 도착하는 항공편을 운행하고 있었다. 비행시간이 2시간 남짓인 데다 편도 78.98달러로 가격도 저렴했다. 9.11 보안세(Security Fee) 5.6달러를 포함해 각종 세금이 포함된 최종가였다. 망설임 없이 예약하고 결제까지 끝냈다.

동부 일정을 소화하고 일찍 잠자리에 들었다. 새벽 비행기라 긴장을 내려놓을 수 없었다. 본의 아니게 '시애틀의 잠 못 이루는 밤'이 이어졌다. 선잠에 빠지려던 찰나 휴대전화 메시지가 하나 온다. 새벽 2시 18분에 받은 문자는 비행기가 연발한다는 소식을 건조하게 알리고 있다. 예약한 항공편의 출발시각이 오전 10시로 미뤄졌다. 정신이 번쩍든다. 출근시간을 맞추려면 뭔가 조치를 취해야 한다.

전화기를 들고 고객서비스센터 번호를 누르자 상담원이

바로 연결됐다. 사정을 설명하고 최대한 빨리 새너제이에 가야 한다고 했다. 상담원은 대수롭지 않다는 듯 일정을 조회한다. "새벽 5시 5분에 라스베이거스로 가는 비행기를 타세요. 거기서 1시간 기다렸다가 환승하면 아침 9시 50분에 새너제이에 도착할 겁니다. 이렇게 바꿔드릴게요."

어떻게 순식간에 이런 일이 가능했을까? 비결은 사우스웨스트가 유지하고 있는 독립적 판매 시스템에 있었다. 돌이켜보니 사우스웨스트항공권을 사려면 반드시 사우스웨스트의 공식 앱이나 웹사이트를 통해야만 했다. 다른 항공사는 제3자 서비스를 통해서 최저가를 찾고 구매까지 할 수 있지만 사우스웨스트는 자사 플랫폼에서만 비행기표를 팔고 있었다. 그만큼 돌발상황이 벌어졌을 때 빠른 대응이 가능하다. 이런 사실을 모른 채 항공권을 샀으니 묻고 따지지도 않는 고객 서비스센터의 신속한 처리에 놀랄 수밖에 없었다.

놀라움은 계속 이어졌다. 공항 키오스크에서 탑승권을 출력했다. 어라, 표에는 좌석번호가 없다. 비행기에 올라탔더니 승무원이 계속 "오픈시팅(Open Seating)"을 외친다. 빈자리 아무 곳에나 앉으라는 뜻이다. 알고 보니 사우스웨스트는 지금까지 비지정 좌석제를 고수하고 있었다. 먼저 탄 사람이 원하는 자리에 먼저 앉을 수 있는 것이다. 맨 앞자리를 차지하고 뒤돌아보니 좌석 종류도 한가지밖에 없다.

다른 항공사들이 승객 등급을 나누고 줄을 세울 때 사우스웨스트는 정반대 방향으로 갔다. 아예 좌석등급까지 하나로 통일한 것이다. 차별을 없앤 단순화의 혜택은 컸다. 탑승 시간이 줄어들었고 좌석수는 늘어났으며 예약과정은 간소화됐다.

우여곡절 끝에 새너제이에 도착했다. 2시간 휴가를 냈지만 오전 10시 30분에 찾아온 캐나다 퀘백주 사람들과의 미팅에는 늦지 않게 참석할 수 있었다. 한숨 돌리고 틈틈이 사우스웨스트에 대한 책과 자료를 살폈다. 1967년 창업한 사우스웨스트는 탄생부터 성벽 밖에서 태어난 항공사였다. 텍사스주에서 회사를 설립했지만 같은 주 안에서 추가 항공사 진입을 불허하는 당시 규제안에 따라 비행기를 띄울 수 없었다. 연방정부와 항공사를 상대로 4년을 싸운 후에야 하늘을 날 수 있었다. 1971년 항공기 3대로 사우스웨스트는 첫 운항을 시작한다.

항공업계의 공고한 성벽을 무너뜨리려던 사우스웨스트는 30회가 넘는 청문회를 감당해야 했다. 기존 항공사의 공격 세례와 방해 공작은 덤이었다. 위기를 맞을 때마다 창업자 허브 켈러허(Herb Kelleher)가 전면에 나섰다. 켈러허는 다른 항공사들을 모방하지 않는 전략을 고수하면서 오히려 공격을 즐기는 모습까지 보여줬다. 그의 경영철학은 한마디로 '혁신은 즐거워야 한다'는 것이었다.

켈러허의 여유를 보여주는 일화가 있다. 1992년 사우스웨스트는 '스마트하게 비행하라(Just Plane Smart)'는 슬로건을 쓰고 있었다. 이는 지역 군소항공사에서 이미 사용 중인 캐치프레이즈였다. 법적 분쟁에 휘말린 켈러허는 자신보다 스무살도 더 어린 상대회사 대표에게 팔씨름으로 담판을 짓자고 제안한다. 독특한 이벤트를 놓칠 리 없는 미국 방송사가 심판까지 섭외해 둘의 대결을 생중계한다. 승부는 켈러허의 패배로 싱겁게 끝났지만 큰 홍보효과를 누린 상대방은 사우스트웨스트 측에 기꺼이 사용권한을 양도했다.

즐거움을 혁신의 동력이자 도구로 삼았던 기업가 허브 켈러허는 2019년 1월 세상을 떠났다. 그의 부재가 느껴지듯 사우스웨스트는 2022년 말 대규모 결항 사태를 빚으며 위기를 맞았다. 연방정부까지 나서 경고할 정도로 문제가 심각했다. 기상이변이 오래 이어진 탓도 있겠지만 사우스웨스트 내부에서는 노후화된 소프트웨어를 계속 유지한 까닭에 복구가 현저히 늦어졌다는 진단이 지배적이었다.

문득 켈러허가 살아 있었다면 어떻게 위기에 대처했을지 궁금하다. 켈러허는 생전 한 인터뷰에서 "성벽 안에서 오래 지내다 보면 그곳에 적응할 뿐만 아니라 벽 너머에 아무것도 없다고 믿게 된다"고 말했다.

결국 혁신은 기존의 성벽을 무너뜨리는 행위만으로 이뤄지지 않는다. 중심부가 되어서도 안온한 성벽을 허무는 시도를 지속할 수 있을 때 비로소 혁신은 완성된다. 단번의 개혁은 필수적이지만 그 이후의 계속적 갱신이 더욱 중요하다는 의미다. 물론 그 과정은 즐거워야 할 것이다.

제30화 일론 머스크식 욕구 통제

실리콘밸리는 테크놀로지이고, 테크놀로지는 인간과 문화에 기반한다. 실리콘밸리 근무 3년차를 맞이한 지금까지 가장 몰두하는 주제는 샌프란시스코 베이(San Francisco Bay) 지역의 인문(人文)이다. 세상을 바꾸려고 하는 창업가와 혁신가들은 왜 굳이 실리콘밸리로 몰려들까. 다양한 이유가 있겠지만 베이 지역을 관통하는 무형의 정서가 실재하기 때문이다. 이를 미국 동부에 있는 한 정치학자의 개념으로 표현하자면 소프트파워(soft power)가 될 것이다.

처음 실리콘밸리에 도착해 여장을 풀었다. 한숨 돌리고

나서 스스로 정의한 급선무는 눈에 보이지 않는 실리콘밸리의 분위기부터 파악하는 일이었다.

우선 큰 회사에 다니는 사람들을 많이 만났다. 구글 애플 메타 아마존 등 이른바 '빅테크' 기업에 다니는 기술인들을 만나 각 회사의 고유한 분위기를 듣고 싶었다. 게다가 지금은 어마어마한 브랜드가 된 기업의 저변에 깔려 있는 철학과 문화도 엿보고 싶었다. 하지만 현직자를 만나면 만날수록 그들의 가장 큰 관심사는 연봉협상과 인센티브, 스톡옵션 같은 유형의 자산이라는 사실을 알 수 있었다.

스티브 잡스, 제프 베이조스, 빌 게이츠 정도는 만나야 내가 탐색하는 가치에 대한 힌트를 얻을 수 있는 일인지도 모르겠다. 가장 만나고 싶은 잡스는 이제 세상에 존재하지 않고 베이조스는 우주를 탐사하느라 바쁘다. 2022년 6월 UC 버클리의 강연장에서나마 유일하게 만날 수 있었던 빌 게이츠는 어찌된 영문인지 질문도 받지 않고 퇴장해 버렸다.

난감했다. 어영부영하며 시간만 흘렀다. 1년이 지나고 이대로는 안 되겠다 싶은 마음이 들었다. 우선 실리콘밸리를 물리적 공간으로 온전히 인지하는 일부터 시작해야 했다. 좁은 의미의 실리콘밸리는 샌프란시스코만을 둘러싼 지역이다. 베이 지역을 한바퀴 걷기로 결심했다. 집에서 동쪽 베이를 따라 샌프란시스코까지 올라가서 서쪽 베이를 따라 샌타클래라로 내려오는 형태로 동선을 짰다. 총길이는 100마일,

약 160㎞쯤 됐다. 나흘 휴가를 내고 배낭을 꾸렸다. 주말까지 붙이면 6일을 활용할 수 있다. 하루에 얼추 25㎞씩 걸으면 두 발로 집을 나가 두 발로 집에 들어올 수 있을 터였다.

집을 나선 지 3시간 만에 맞닥뜨린 도시는 프리몬트(Fremont)다. 프리몬트는 미래차기업 테슬라의 공장이 있는 곳으로 유명하다. 공장 외부 한편에 기가프레스 방식으로 찍어낸 차체가 쌓여 있었다. 조립을 앞둔 모델3 차체를 보면서 자연스레 일론 머스크를 떠올렸다. 머스크는 이 시대를 대표하는 창업가다. 기술과 인간, 사회, 문화의 연결을 다루는 잡지 <와이어드(Wired)>는 2022년 1월 다수 스타트업 창업가를 상대로 설문조사를 했다. 질문은 '누가 당신에게 영감을 주는가(Who inspires you)'였다. 15~30세 사이의 젊은 창업가들 중 절반이 넘는 사람이 일론 머스크를 꼽았다. 소수의견으로 현재 챗GPT로 각광받고 있는 오픈AI의 창업자 샘 올트먼(Sam Altman)이나 핀테크회사 스트라이프를 세운 패트릭 콜리슨(Patrick Collison) 정도가 언급됐다. 이처럼 오늘날을 상징하는 혁신가는 누가 뭐래도 일론 머스크다.

머스크를 만나 그가 그리는 앞날에 대해 들어보고 싶지만 허황된 망상임을 잘 안다. 이럴 때 가장 좋은 방법은 그가 남긴 말과 글을 찾아보는 것이다. 뉴욕타임스의 칼럼니스트

애슐리 반스가 머스크를 독점 인터뷰하고 쓴 책 <일론 머스크, 미래의 설계자>를 읽었지만 그의 비전에 선뜻 동의할 수는 없었다. 거인의 시각을 대뜸 받아들이기에는 나의 그릇이 너무 작기 때문일 것이다. 다만 그가 팟캐스트에서 직접 언급한 '1달러 프로젝트'는 분명 울림이 있었다.

2015년 3월 일론 머스크는 '스타토크(StarTalk)'에 출연해 천체물리학자 닐 디그래스 타이슨과 이야기를 나눈다. '인류의 미래(The Future of Humanity)'라는 제목으로 진행된 대담에서 머스크는 열일곱살 때 캐나다에서 자신이 했던 실험에 대해 털어놓는다.

"10대 때 저는 생존하는 데 얼마가 필요한지 알고 싶었어요. 하루 1달러만 쓰면서 살아보기로 했죠. 핫도그와 오렌지를 박스째 사놓고 한 달을 버텼어요. 가능하더라고요. 여기서 저는 돈에 대한 관점(standpoint)을 배웠어요. 아무리 어려워도 한달에 30달러는 벌 수 있을 테니까요."

세속의 범인(凡人)이 쉽사리 이해하지 못하는 괴짜 행동을 거듭하는 이 시대의 창업가도 시작점은 아주 면밀하고 진지했음을 알고 나니 괜스레 숙연해진다. 일론 머스크가 10대 때 했던 실험을 멋쩍게도 불혹의 나이가 다 되어서 시도하고 있다. 머스크가 핫도그와 오렌지라면 나는 감자튀김과 슬러시다. 햄버거 가게에 갔더니 체리맛 슬러시를 1달러에 팔고 있었다. 앱을 내려받아 쿠폰을 내밀면 대짜 감자튀김까지 얹어서 준다. 요즘에는 웬만하면 감자튀김과 슬러시로 점심을 해결하고 있다. 이른바 '일론 머스크식 욕구통제'다.

머스크만 그런 것은 아니다. 미국 저널리스트 넬리 보울스(Nellie Bowles)는 베이 지역에 상주하며 테크놀로지와 문화를 다루고 있다. 샌프란시스코 크로니클(Chronicle)에서도 일한 이력이 있는 그의 주된 관심 분야는 창업가와 혁신가들 사이에 널리 자리잡은 현상이다. 2019년 3월 보울스가 뉴욕타임스에 쓴 기사 제목은 '실리콘밸리는 왜 이리 고통의 미덕에 천착하는가(Why Is Silicon Valley So Obsessed With the Virtue of Suffering?)'였다.

기사에서 오바마행정부 시절 '미국경제회복 자문위원'으로 활동한 벤처투자자 존 도어(John Doerr)는 "현재 실리콘밸리는 유사 이래 합법적으로 가장 커다란 부를 축적했다"고 평가했다. 이처럼 억만장자 반열에 오른 젊은 창업가들이 어쩐 일인지 하루 한끼만 먹는다. 매일 명상에 집중하며 1년 중 열흘은 한마디도 하지 않는 묵언수행에 빠진다. 아침에는 얼음으로 샤워하고 회사까지 걸어간다. 편도 거리가 5마일, 약 8㎞라도 마다하지 않는다. 역사상 가장 부자가 된 이들이 도대체 왜 그럴까.

실리콘밸리 창업가들과 종종 저녁식사를 하는 작가이자 시카고대학 역사학 교수인 에이다 팔머(Ada Palmer)의 분석이 흥미롭다. "당신은 서른일곱이고 직접 세운 스타트업을 팔아넘겨 억만장자가 됐어요. 꿈에 그리던 엑시트(exit)를 하고 부를 거머쥐었어요. 그런데 별로 행복하지 않다고 생각해보세요. 무척 당혹스러운 일이죠." 그는 이를 가리켜 '슬픈 무기력(sad lethargy)'으로 표현했다. 극심한 경쟁과 끝없는 노력 끝에 거머쥔 성공이 슬픈 무기력으로 귀결되지 않도록 창업가들이 일상생활에서 틈틈이 금욕주의를 연습 중이라는 해석이다.

일론 머스크가 즐겨 내세우는 실리콘밸리 사명(mission)은 '세계를 구한다(save the world)'이다. 이를 부를 축적하기 위한 수단이자 공허한 슬로건으로 폄하할 수도 있겠지만 허무주의에 빠지지 않기 위해 포기할 수 없는 최상위 가치로도 볼 수 있다.

21세기를 뒤흔든 혁신가를 단 한명만 꼽으라면 고민없이 스티브 잡스를 택하겠다. 머스크는 현재진행형이니 판단을 유보한다. 2009년 죽음을 2년 앞두고 잡스는 애플의 기업공개(IPO)를 통해 갑자기 억만장자가 됐던 30년 전을 이렇게 회고했다.

"저는 자발적으로 풍족함을 멀리했어요. 단순한 삶을 고수했지요. 따라서 가난할 때도 돈에 대해 걱정하지 않았어요. 엄청난 부자가 되고도 돈이 제 삶을 망치는 일은 없을 것이라고 다짐했습니다."

잡스의 발언에서 머스크식 욕구 통제가 연상되는 것은 왜일까. 대가들끼리는 뭔가 통하는 게 있나 보다.

제31화 혁신가들의 접근법

실리콘밸리를 상징하는 인물의 흔적을 좇으면서 마주하는 한계는 내가 기업가가 아니라는 사실이다. 멋들어진 회사 하나를 창업하고 수많은 수익을 내는 기업가면 좋으련만 이는 나의 깜냥을 넘어선다. 하지만 제품과 서비스로 세상을 뒤흔든 이들의 마음에는 누구보다 관심이 많다.

돌이켜보니 첫 근무지인 이란에서 일하면서 짬을 내 학교를 다녔다. 학교에서 배운 내용은 '기업가정신'이었다. 이란 테헤란대학교 경영대는 '중동 최초 기업가정신 과정 개설 (The First Faculty of Entrepreneurship in the Middle

East)'을 슬로건으로 내세운다. 물론 페르시아어로 진행되는 강의를 제대로 따라갈 수는 없었다. 그래도 수업 중 대한민국의 1세대 창업가를 연이어 다뤘던 순간만은 생생하게 기억한다.

나는 한국 굴지의 기업 창업주와 아무런 연관이 없지만 한국인이라는 사실 하나로 몇 주 내내 그들의 마음을 대변해야만 했다. 이란 동료들의 쏟아지는 눈길이 어찌나 부담스럽던지 그때를 떠올리면 얼굴이 붉어진다. 새삼 현시대 대한민국의 위상을 생각해볼 수 있었고 그만큼 한국인으로서 행동거지를 조심해야겠다는 마음도 품게 됐다. 선배 세대의 업적이 강렬한 만큼 지구 곳곳에는 지켜보는 눈이 많아졌다.

이란에서 기업가정신을 공부하며 내린 결론은 기업가정신을 구현하기 위해 반드시 창업가 혹은 사업가가 될 필요는 없다는 사실이다. 우리말로는 일반적으로 기업가로 번역하는 'entrepreneur'는 라틴어 'entre'와 'prendes'가 단어의 뿌리다. 각각 '헤엄쳐 나가다(swim out)'와 '포착·이해(grasp)'를 뜻한다. 어원학 관점에서 entrepreneur를 바라보면 꼭 좁은 의미의 기업가, 창업가, 사업가를 뜻하는 것은 아니다. 이 단어는 동태적으로 계속 헤엄쳐 나가며 기회를 포착하는 사람, 정태적으로 세상을 받아들이지 않고 변화하는 세계를 이해하는 사람을 포괄한다.

따라서 우리가 흔히 기업가정신으로 지칭하고 사용하는 개념을 엄밀히 살펴보면 '혁신가정신'에 보다 가깝다는 점을 알 수 있다. 그렇다면 기업가정신이 아닌 혁신가정신을 현실에서 구현하기 위해 반드시 내가 만든 회사가 필요한 것은 아닐 테다. 이란에서 학교를 다니면서 이 점 하나는 확실히 깨달았다.

일과 삶에서 혁신가정신을 적용하기 위해 혁신부터 명확히 파악할 필요가 있겠다. 혁신이란 무엇인가. 내가 정의하는 혁신의 필요충분조건은 둘이다. 과정에서 끊임없는 갱신이 있어야 하며 결과적으로는 갱신이 누적되면서 표준과 접근법이 바뀌어야 한다. 둘 중 어느 하나만 가지고 혁신이라 부르기는 궁색하다.

말과 글에 관심이 많은 내가 꼽는 21세기 최고의 혁신적 연설은 2005년 6월 12일 스탠퍼드대학에서 스티브 잡스가 한 졸업식 축사다. 손꼽히는 달변가인 그가 고개를 숙이고 준비한 원고를 한치의 오차도 없이 읽어나가는 모습을 보면서 얼마나 철저하게 준비했을지 궁금했다. 잡스의 축사는 육성으로 퍼져 나갔지만 즉흥성이 전혀 없다는 점에서 말보다는 정제된 글에 가깝다.

실제로 그랬다. 잡스는 졸업식 축사를 의뢰받고 6개월간 준비에 매달린다. 2005년 1월 15일 첫 초안을 자신의 이메일 계정으로 보낸다. 이후 자기 자신과의 교신이 수십 차례

계속된다. 심지어 그는 졸업식 당일 아침까지도 자신이 쓴 원고를 다듬었다. 세상에 막대한 영향을 미친 혁신가도 장막 뒤에서는 끝없는 수련을 지속했음을 알 수 있다. 하버드대 교수인 클레이튼 크리스텐센이 만든 용어 '파괴적 혁신(disruptive innovation)'은 달콤하게 들리지만 현실에서 혁신은 대부분 점진적 갱신 끝에 결실을 맺는다.

2023년 상반기 나는 일터에서 우리 반도체 기업을 지원하는 프로젝트를 맡았다. 매년 7월 샌프란시스코 전시장 '모스코니(Moscone)'에서는 세계적인 반도체산업 전시회 '세미콘 웨스트'가 열린다. 모스코니센터는 2007년 1월 애플이 처음 아이폰을 세상에 발표한 곳으로, 실리콘밸리의 기술산업 혁신을 상징한다.

2023년 '세미콘 웨스트'는 7월 11일부터 사흘 동안 모스코니센터에서 진행됐다. 반도체산업을 둘러싼 국가 간 주도권 경쟁이 치열해지고 코로나19 안정 후 본격적으로 재개되는 오프라인 전시회라는 점 때문에 프로젝트 실무 총괄자로서 부담이 매우 컸다.

7월이 되면 마지막 그림이 어떻게 나올지 확신할 수 없었지만 우리는 그림을 그리는 방식과 자세에 대해서는 철저한 공감과 이해를 구하고 시작했다. 실리콘밸리에서 일하는 만큼 실리콘밸리 혁신가들의 접근법을 직간접적으로 차용하기로 했다.

'비즈니스위크' 기술 전문기자로 활동한 리처드 브랜트는 아마존 창업자 제프 베이조스를 다룬 책 <원클릭(One Click)>에서 '실리콘밸리 정신'을 정의한다. 그는 책에서 "실리콘밸리 정신이란 되는 일은 밀어붙이고 안되는 일은 과감하게 포기하는 것"이라며 "중요한 것은 밀고나갈 때와 접어야 할 때를 아는 것(The key is to know when to hold and when to fold)"이라고 말한다.

비슷한 관점은 어렵지 않게 찾을 수 있다. 프린스턴대학에서 기업가정신을 강의하는 팀 페리스는 그 자신이 창업가이자 벤처투자가다. 포춘(Fortune)은 2016년 '우리가 꼭 알아야 할 독창적 혁신가'로 그를 선정했다. 페리스는 베스트셀러 <타이탄의 도구들(Tools of Titans)>에서 자신이 인터뷰한 혁신가들의 특성을 규정한다. "그들은 모두 걸어다니는 결점투성이로, 단지 한두개의 강점을 극대화했을 뿐(They are nearly all walking flaws who've maximized 1 or 2 strengths)"이라고 말이다. 그렇다. 이를 준비 중인 프로젝트에 적용해 생각해보니 힌트는 우리가 무엇을 잘하는지, 여기서 무엇이 되는지를 알아내 극대화하는 데에 있었다.

우선 세미콘 웨스트 전시회에 한국관을 꾸려 참가하는 것은 확정됐으므로 이를 최대한 활용하기로 했다. 전시회 앞뒤로 의미있는 행사를 기획해 추진하면 '대한민국 반도체

주간(K-Semicon Week)'으로 선포하는 데 무리가 없을 것으로 봤다. 거창한 선포식을 하지 않아도 임팩트 있는 행사가 3번 정도 연달아 진행되면 참가자들이 자연스레 '반도체 주간'으로 인식하리라 예상했다.

전시회 개막 며칠 전 반도체산업 콘퍼런스로 운을 띄우고, 전시회에 한국관을 꾸려나가며, 한·미 국가 리셉션을 개최해 자연스런 분위기에서 비즈니스 상담을 하며 마무리하는 방식이었다. 각각 행사의 내부 코드명은 촉각 세우기, 널리 알리기, 기반 다지기로 정했다. 반도체산업이 태동한 미국 실리콘밸리에서 동향 변화에 촉각을 세우고, 대한민국 반도체산업의 가치를 널리 알리며, 한국과 미국의 산업협력 기반을 다진다는 의미를 담았다.

우리의 취지를 열과 성을 다해 설명하자 운도 따르기 시작했다. 거물급 인물들이 관심을 보였다. 결과적으로 반도체산업 사전 콘퍼런스에 세미콘웨스트 주관사 회장과 반도체지원법(CHIPS Act)을 담당하는 미국 상무부 국장이 연사로 참석했다. 모두 자비를 들여 비행기를 타고 오렌지카운티와 워싱턴DC에서 날아올 정도로 프로젝트에 힘을 실어줬다.

사람이 많은 만큼 질문의 수준도 높았다. 연사들이 진땀을 빼는 순간도 여럿 있었지만 프로답게 능숙하게 대응했다. 건강한 긴장감을 만들어보고 싶었던 우리의 의도를 잘

이해해줬다. 고마웠다. 반도체주간은 끝났다. 환희로 가득
찼던 어제가 신기루처럼 사라진 오늘이다. 다시금 실리콘밸
리 혁신가의 접근법을 빌려야 할 내일이 다가오고 있다.

제32화 미래차 타고 과거로 갔더니

"평온한 바다는 유능한 뱃사람을 만들 수 없다(A smooth sea never made a skilled sailor)"는 미국 제32대 대통령 프랭클린 루스벨트의 말에 취해 무작정 길을 나섰다. 실리콘밸리 근무가 막바지를 향해 가면서 좁은 책상을 떠나 꼭 한번 올라서고 싶은 길이 있었다. 바로 66번 국도(Route 66)다. 1926년 완공돼 1985년 고속도로에서 해제된 이 길은 오랫동안 미국 역사·문화·정신의 아이콘 역할을 했다.

시카고에서 로스앤젤레스까지 미국 동·서부를 잇는 2,448마일, 약 3,940㎞의 도로를 따라 많은 젊은이들이 캘리포니아로 왔다. 서쪽으로 길을 떠난 이에게 캘리포니아는 기회와 가능성의 땅 '골든 스테이트'였다. 묵시적일 뿐 아니라 명시적으로 그렇다. 1968년 개정된 캘리포니아주 법률(Statutes of California) 제66장은 '주의 공식 별칭이 골든 스테이트(The Golden State is the official state nickname)'라고 규정하고 있다.

캘리포니아 살리나스 출신으로 스탠퍼드대학에서 공부한 작가 존 스타인벡은 소설 <분노의 포도>에서 "66번 도로는 작은 지류들의 어머니며 도망치는 사람들의 길"이라고 묘사한다. 20세기 중반 길을 나선 미국인들은 무엇으로부터 도망쳤는가. 물론 팍팍한 현실이다. 스타인벡의 표현에 따르면 "흙먼지에서, 좁아지는 땅에서, 밀고 올라오는 사막에서, 휘몰아치는 바람에서, 비옥한 땅을 훔쳐 간 홍수에서, 트랙터와 땅의 소유권을 주장할 수 없게 된 현실에서" 도망쳐 시골길을 달리고 달렸다.

서부로 가는 그들의 여정에서 1차 목표는 66번 도로에 들어서는 것이었다. 66번 도로를 타고 서쪽으로 가다 보면 언젠가 캘리포니아가 나온다고 믿었다. 예나 지금이나 캘리포니아는 새로운 미래를 꿈꾸는 이들의 정신적·물질적 플랫폼이다. 66번 도로가 상징하는 미국의 이상주의와 개척정신은 현재 실리콘밸리의 빅테크기업이 이어받았다. 세계 시가총액 1위 애플은 자사 제품이 '캘리포니아에서 디자인된다

(Designed in California)'고 내세운다.

3년 동안 실리콘밸리에서 근무하면서 틈날 때마다 했던 작업은 지금의 혁신 중심지를 만든 연원을 되짚어 보는 일이다. 미국에 왔으니 좋다고 하는 유명 관광지를 아웃렛 쇼핑하듯이 쓸어 담아야 하지 않느냐고 많은 주변인들이 이야기했다. 어찌된 영문인지 나에게는 아무런 감흥이 없었다. 시공간은 한정돼 있으니 마음 가는 일에 열의를 보이는 수밖에 없었다.

자본, 제도, 정치, 경제, 사회, 문화, 정신 등 실리콘밸리가 탄생한 데에는 수많은 요인이 있다. 한국에 상대적으로 덜 알려진 부분은 문화적·정신적 배경이다. 실리콘밸리는 미래주의와 낙관주의에 기초해 개혁과 갱신을 거듭해왔다. 실리콘밸리가 뿌리내릴 수 있었던 문화적·역사적 토양에는 1950~1960년대 비트세대와 1960~1970년대의 히피세대가 존재한다. 둘의 공통점은 지금 구성된 현재에 머무르지 않고 새로운 세상을 꿈꾸는 자세다.

1968년 7월 인텔을 창업하며 초창기 실리콘밸리 반도체 산업의 중흥을 이끈 로버트 노이스와 고든 무어는 비트세대다. 노벨물리학상 수상자인 동시에 편집증적 관리자였던 윌리엄 쇼클리에 대한 반란으로 회사를 뛰쳐나와 인텔을 설립했다. 1976년 4월, 애플을 창업한 스티브 잡스와 스티브 워즈니악은 히피세대다. 2011년 사망할 때까지 영적인 구도자로서 정체성을 잃지 않았던 잡스는 테크놀로지와 인간의 교차점에 서서 늘 더 나은 세계를 갈망했다.

이처럼 과거와 현재의 실리콘밸리를 잇는 일련의 흐름에는 비트세대와 히피세대가 있다. 또한 이들 세대의 여정을 상징하는 66번 도로가 분명 실재하고 있었다.

귀국할 날이 다가오면서 66번 도로로 가는 발걸음을 더 이상 미룰 수 없었다. 로스앤젤레스까지 비행기로 가서 자동차를 빌리기로 했다. 애리조나까지 10번 주간(interstate) 도로를 타고 가서 하룻밤 묵고 66번 도로를 타고 복귀하는 식으로 동선을 짰다.

인터넷으로 미리 결제하고 남가주대학(USC) 근처에 있는 허츠(Hertz) 렌터카 대리점으로 갔다. 직원은 2가지 선택지를 줬다. "지금 빌릴 수 있는 차는 포드 머스탱 아니면 쉐보레 볼트예요. 머스탱은 추가요금을 내야 하고요. 볼트는 알다시피 전기차인데 급속충전(Fast Charging)이 가능합니다." 잠깐 고민하다가 볼트를 선택하기로 마음먹었다. 실리콘밸리에서 근무한다고 이런저런 얘기를 뱉었음에도 전기차운전 한번 안해봤다는 사실이 찔렸기 때문이다.

수난이 시작됐다. 차를 받았을 때 충전된 배터리는 50% 남짓이었다. 가능한 주행거리는 134마일, 약 215km였다. 캘리포니아를 동서로 나눴을 때 딱 가운데에 걸치는 캐시드럴 시티(Cathedral City)까지 로스앤젤레스에서 갈 수 있는 거

리였다. 캐시드럴 시티의 전기차 충전소를 찾아서 목적지로
잡고 주행을 시작했다.

출발은 나쁘지 않았다. 갓 출고됐는지 완전한 새차였다.
전기차가 상징하는 커다란 계기판도 달고 있었다. 구글 픽
셀6 전화기의 안드로이드 오토로 지도를 연결하고 노래를
흥얼거리며 여정을 시작했다. 첫번째 경유지 캐시드럴 시티
까지는 2시간이 걸렸다. 충전소 브랜드인 이브이고(EVgo)
앱에 가입하고 충전기를 연결했다.

아뿔싸. 급속충전을 해도 80%까지 93분이 소요된다는 알
림이 떴다. 게다가 1회 충전 제한 시간은 60분이었다. 1시
간 동안 기다리면서 햄버거를 사먹고 커피를 마셨다. 차로
돌아와 손흥민의 해트트릭 장면을 보는데도 시간이 더디게
갔다. 겨우 60분을 채우고 다음 목적지를 찾았다. 캘리포니
아와 애리조나의 경계인 블라이스(Blythe)까지는 113마일,
약 181㎞ 떨어져 있었다.

계기판의 주행거리가 142마일이 떴으므로 이론상 블라이
스까지 충분히 갈 수 있었다. 현실은 이론과 다른 법인지
운전하면 할수록 배터리가 빨리 닳기 시작했다. 구글 지도
의 남은 거리와 자동차의 주행 가능거리를 실시간으로 비교
하면서 액셀러레이터를 조심스럽게 밟았다. 주황색 경고등
에 불이 들어오면서 식은땀이 흐르기 시작했다. 블라이스의
전기충전소까지 남은 거리는 5마일 안팎이었다.

별다른 종교는 없지만 마음 속으로 그동안 알고 있던 모든 신을 소환했다. 신은 기도를 외면했다. 액셀러레이터를 밟아도 속도가 올라가지 않자 비상 깜빡이를 켜고 우측으로 빠져서 서행에 돌입했다. 뒤따르던 가솔린 차들은 알아서 전기차를 추월했다. 얼마 못가서 배터리가 완전히 죽었다. 이를 직감하고 진출 차로로 빠져서 차를 세운 게 다행이라면 다행이었다.

충전소까지는 3.5마일, 약 5km가 남았다. 허츠 렌터카의 고객센터 담당자에게 위치를 설명했다. 우선 GPS 번호를 대라고 했다. 33.606163, -114.658802. 그는 내가 있는 곳을 금방 특정했다. 하지만 누구보다도 친절하게 견인차가 오려면 3시간을 기다려야 한다고 했다.

비트세대를 대표하는 작가 잭 케루악의 대표작은 <길 위에서(On the Road)>다. 66번 국도를 타기도 전에 '길 위에서' 혹독한 신고식을 치렀다. 우여곡절 끝에 새벽 2시 반 숙소에 도착해 66번 국도가 지나는 주의 전기충전소 통계부터 찾았다.

미국 에너지부가 공개한 2023년 9월 자료다. 캘리포니아의 전기차 충전소는 1만 5,811개지만 다른 주는 이에 한참 미치지 못한다. 애리조나 1,114개, 뉴멕시코 269개, 텍사스 2,896개, 오클라호마 351개, 미주리 1,177개, 일리노이 1,228개다.

전기차를 끌고 캘리포니아 밖으로 로드트립을 떠난 나는 얼마나 순진하고 무모했던가. 평온한 바다에 너무 오랜 시간 머물렀나 보다.

제33화 66번 국도와 혁신가 박인환

  66번 국도로 가는 길은 험난했다. 세밀한 준비가 없었기 때문이다. 답사여정을 떠날 때는 커다란 줄기만 잡고 간다. 숙소와 이동수단 정도만 정해두고 나머지는 현장에서 해결한다. 이게 원칙이다. 힌트는 픽사의 스토리 제작자 매튜 룬에게서 얻었다. 그는 애니메이션 '카'를 제작할 때 떠났던 66번 국도 답사에 대해서 이렇게 서술한다. "조사여행은 예상치 못한 방식으로 영감을 줄 수 있다(A research trip can inspire you in unplanned ways)." 여장을 꾸릴 때 세세한 계획은 안정감을 부여하지만 동시에 경험의 폭을 제한

한다. 둘 사이에서 균형을 잡기란 쉽지 않은 문제다. 목적부터 명확히 해야만 했다. 왜 66번 국도를 타려고 하는가. 자신에게 수없이 던진 질문이다.

한마디로 미국을 알고 싶었다. 미국 전역이 너무 큰 대상이라면 서부라도 알고 싶었다. 미국 서부도 너무 크다면 캘리포니아라도 알고 싶었다. 캘리포니아는 '골드러시'의 종착지다. 금을 찾아 떠나온 미국인들의 행렬에서 주목해야 할 부분은 금이 가진 물성(物性)이 아니라 행렬이 상징하는 이동성이다. 역사적으로 많은 이들이 보다 나은 삶을 꿈꾸며 미국 서부로 왔다. 기회의 땅 캘리포니아에서 미래 가능성을 끌어올리려 했다.

이 물결은 지금도 유지되고 있다. 전세계에서 창업으로 일가를 이루려는 이들이 여전히 실리콘밸리로 몰려든다. 현시대 가장 각광받는 기업가 일론 머스크만 봐도 그렇다. 남아공에서 출생한 그는 캐나다를 거쳐 마침내 미국으로 왔다. 1995년 머스크가 처음 창업한 회사 집투(Zip2)의 근거지는 캘리포니아 팔로알토의 56㎡짜리 작은 사무실이었다.

물고기는 자신이 물에 사는지 모른다고 했다. 어느새 캘리포니아에 거주한 지 3년이 다 되어가면서 스스로 캘리포니아에 사는 게 맞는지 의구심이 커졌다. 캘리포니아 밖에서 캘리포니아를 바라보는 시각이 절실했다. 도구적 접근통로는 66번 국도였으면 좋겠다는 생각을 오랫동안 품었다.

한정된 미국근무 기간 동안 66번 국도를 운전하면서 꼭 한 번 자극을 받고 싶었다.

하지만 여정을 시작한 지 5시간 만에 캘리포니아와 애리조나의 경계에서 전진은 중단됐다. 렌터카 직원의 제안을 무모하게 받아들인 탓에 난생 처음 전기차를 운전하는 중이었다. 쉐보레 볼트(Bolt)는 목적지로 설정한 충전소를 2km 앞두고 동력을 잃었다. 렌터카 직원은 견인차가 올 때까지 3시간을 기다려야 한다고 말했다. 토요일 오후 캘리포니아의 동쪽 끝 하늘은 높고 푸르렀다. 전날 비가 내린 덕분인지 무지개까지 떠올랐다. 압도적 풍경이었지만 사진 찍을 여력은 남아있지 않았다.

3시간 동안 손놓고 기다린 것은 아니다. 렌터카 직원에게 너무 오래 걸리니 다른 방법을 찾아달라고 요청했다. 직원은 혹시 고속도로 순찰대(Highway Patrol)가 비상 충전용 배터리를 갖고 있을지도 모른다며 가장 가까운 경찰서 번호를 알려줬다. 쉐보레 볼트가 있는 위치를 특정해서 전달하자 십여분 만에 순찰차가 도착했다. 사정을 설명했지만 아쉽게도 비상 충전용 배터리팩은 없었다.

경찰은 경찰답게 최선을 다했다. 그는 점프선을 연결해보기 위해 애썼다. 물론 전기차로 점프스타트가 가능할 리만무했다. 자포자기하는 심정으로 통성명을 했다. 경찰관 이름은 다스트(Darst)였다. 다스트는 훈련연수를 받으러 서울에 간 적이 있다고 말했다. 우리는 경복궁에서 그가 찍은 사진을 보면서 한국을 이야기했다.

미합중국 캘리포니아와 애리조나의 경계에서 대한민국과 서울을 이야기하는 일은 제 나름 운치가 있었지만 그렇다고 시간이 빨리 가지는 않았다. "계속 있어줄까(Do I stick to you)?"라고 묻는 그의 마지막 말에 "아니, 괜찮다"고 대답했다.

오랜 기다림 끝에 견인차가 도착했다. 충전소까지 2㎞를 끌어서 옮겨주고 렌터카 회사에 320달러를 청구했다. 요금 정산은 나중 문제였다. 전기차를 끌고 다음날 66번 국도를 타는 일은 무리였다. 1시간도 넘게 걸리는 충전을 기다리면서 다시 렌터카 회사와 통화했다. 무엇보다 차를 바꾸는 게 급선무였다. 직원은 애리조나 피닉스 공항으로 가면 24시간 운영하는 지점이 있으므로 차를 바꿔줄 것이라고 말했다.

90분 가까이 충전을 마치고 피닉스까지 갈 전력을 확보했다. 피닉스 공항으로 차를 몰았다. 아침 9시에 길을 나섰는데 밤 12시에 피닉스 스카이하버 국제공항에 도착했다. 가까스로 차를 바꿨지만 66번 국도의 출발지로 설정한 플래그스태프(Flagstaff)까지는 2시간 반이 더 걸렸다. 불행 중 다행인지 숙소로 잡아놓은 에어비앤비 주인장은 문을 잠그지 않고 자겠다고 했다.

네댓 시간 눈을 붙이고 잠을 깼다. 단 하루가 남았다. 험

난한 여정 끝에 66번 국도의 출발점에 섰다. 이제부터는 시간을 최대한 아껴 써야 했다. 숙소 주인장에게 고맙다며 "곧 보자(See you soon)"고 인사했다. 그의 대답은 "정말이니(Are you sure)?"였다. 우리는 깔깔댔다.

기분좋게 시동을 걸었지만 장난처럼 시험은 계속됐다. 이번에는 타이어 경고등에 불이 들어왔다. 전기차 충전에 비하면 타이어의 공기압을 보충하는 일은 난도가 매우 낮은 문제였다.

1999년에 통과된 캘리포니아 의회 법안 531조는 '주유소는 고객에게 타이어용 공기와 세차용 물을 무료로 제공해야 한다(California law requires every service station to provide free air and water for automotive purposes to its customers)'고 규정하고 있다. 66번 국도 중간중간에 주유소가 보일 때마다 멈춰 서서 새어나간 공기를 채우고 다시 길을 나서는 일을 반복해야만 했다.

시인 김중식은 시 '방랑자의 노래'에서 "머물러도 떠돌아도 보았으나 가보지 않은 곳에 무엇이 있는 게 아니었다"고 읊조린다. 66번 국도라고 해서 무엇이 있는 게 아니었다. 퇴역한 도로답게 노면 상태가 말이 아니었다. 끝이 보이지 않는 일직선 도로에 자동차는 딱 한대였다. 캘리포니아로 향하는 길에서 서행과 주행을 반복하면서 대자연의 풍광을 흠뻑 받아들였다. 그리고 회사 선배로 여기는 인물이 던진 질문 하나에 골몰했다.

선배는 다름 아닌 시인 박인환이다. '목마와 숙녀' '세월이 가면'의 시인 박인환은 광복 이후 우리나라 최초의 국영 기업인 대한해운공사 직원으로 만 3년 가까이 근무했다. 그는 1955년 3월, 대한해운공사의 상선 '남해호'의 사무장으로 미국 땅을 밟는다. 박인환은 이때의 체험을 정리해 한 일간지에 '19일 간의 아메리카'라는 제목으로 기고했다.

박인환은 시애틀 근처에 위치한 올림피아항(Port of Olympia)으로 정박하는 남해호에서 자문한다. "과연 무엇이 나를 기다리고 있을 것이며 무엇을 나는 보아야 할 것인가" 라고 말이다. 질문이 세계를 규정한다. '무엇이 보이는가'가 아니라 '무엇을 보아야 할 것인가'다. 한국전쟁이 끝난 직후의 지식인이자 직장인, 문학가이자 개척자였던 그가 던진 질문은 70여년이 지난 후 66번 국도에서도 유효했다.

내가 구하고 싶은 해답은 '안주하지 않고 세상을 바꾸려는 혁신가들의 정신적 원천은 무엇인가'다. 보이는 것을 받아들이기에도 깜냥이 부족한데 보이지 않는 것을 찾겠다고 나선 길이었으니 실마리를 갖고 돌아왔을 리 없다. 하릴없이 19일 동안 체류를 마치고 귀국한 선배의 마음을 되새기는 수밖에 없겠다. "아메리카 전반의 문화 수준은 우리와 비할 수 없으나 우리들이 조금도 정신적으로 뒤떨어져 있다고는 믿고 싶지가 않다"던 1955년 박인환의 다짐 말이다.

제34화 캠퍼스 마음산책

2023년 10월, 구글의 점심은 제육볶음이었다. 구글 내부를 소개해주겠다는 클라우드 분야 엔지니어의 초대를 받고 캠퍼스 이곳저곳을 둘러보기로 했다. 식당에서 끼니부터 채우고 시작하기로 결정한다. "이번 주는 제육볶음이 나오는 주간이에요. 제육볶음 드셔도 되고요. 다른 카페테리아에는 스테이크도 있어요. 뭐 드실래요?" 한국인답게 제육볶음으로 배를 채운다.

구글 캠퍼스 한복판에서 제육볶음을 배식받으며 생경한 느낌에 사로잡힌다. 아프리카계 미국인이 쌀밥을 아이스크림 스쿱으로 떠 줬다. 지역실정에 맞게 세계화되고 있는 한국문화의 힘을 새삼 실감한다. 밥 한그릇을 순식간에 해치우고 본격적으로 캠퍼스 탐방에 돌입했다. 갓 뽑은 카푸치노 한잔을 손에 든 채.

구글의 넉넉한 인심은 널리 알려졌다. 제육볶음도 카푸치노도 돈을 받지 않았다. 이동하는 곳곳마다 값비싼 디톡스 물이 놓여 있다. 물론 공짜다. 식당에서 한층 올라가니 도서관이 나온다. "천국이 있다면, 그곳은 도서관일 것"이라고 말한 보르헤스가 절로 생각날 만큼 고요하고 평온한 분위기다. 시끌벅적한 식당 바로 위에 완전히 이질적인 공간을 구성해놓았다. 구글다운 발상이다.

도서관 옆에는 명상실(Meditation Room)이 있다. 직원들의 마음 건강을 챙기겠다는 단순한 의도로 해석해도 무리가 없다. 하지만 UC버클리의 인류학 교수 캐롤린 첸은 저서 <일하고 기도하고 코딩하라>에서 "빅테크 기업들은 이제 종교적 기능까지 회사 안으로 포괄하려는 움직임을 보인다"고 분석한다.

도서관과 명상실 한층 위에는 휴식을 취하고 놀이를 할 수 있는 공간을 몰아서 마련해 놓았다. 한쪽에는 마사지를 받을 수 있는 방이 있다. 다른 한쪽에서는 아케이드 게임도 할 수 있다. 어린 시절 오락실에서 즐긴 추억의 게임 '스트리트 파이터2'가 깔려 있었다. 구석에서 테이블 축구를 할 수도 있고 볼링처럼 공을 굴려 표적물을 쓰러뜨리는 게임도 준비돼 있다.

조금 더 걸었더니 정체를 알 수 없는 통로가 나왔다. 통로 끝에는 마법사의 은밀한 아지트 같은 공간이 등장했다. 현실과 환상의 경계를 허물려는 구글의 장난기가 그대로 느껴졌다. 아이 같은 장난스러움을 어른의 진지함으로 구현하려는 게 구글이 세상을 대하는 자세다.

사실 구글 캠퍼스에서 가장 가보고 싶은 곳은 따로 있었다. 바로 업무공간이다. 세상에서 가장 커다란 부를 창출한 회사 중 하나인 구글이 어떻게 일하는지 엿보고 싶었기 때문이다. 혹시 무리한 부탁일지 몰라 조심스럽게 말을 꺼냈지만 초대자는 흔쾌히 업무공간을 공개했다.

개성있고 특색있는 식당, 휴게실, 도서관, 놀이터, 명상실에 비해 구글 직원의 사무 공간은 밋밋했다. 한명 한명이 예상보다 훨씬 좁은 책상을 차지하고 있었다. 이는 구글이 구성원들의 혁신을 이끌어내기 위해 치밀하게 설계한 규칙이다. <심플, 결정의 조건>의 저자 도널드 설과 캐슬린 아이젠하트는 "구글의 규칙 중 가장 눈길을 끄는 것은 사무실을 대학원생 연구실처럼 만든 일"이라고 단언한다.

초창기 구글 직원은 사무실을 마음대로 꾸미고 회의실 이름을 원하는 대로 정할 수 있었다. 하지만 다수가 고정된 벽 없이 칸막이를 사용해 박사과정생 연구 책상처럼 공간을 꾸몄다. 여유 공간이 충분한데도 대부분 이 규칙을 따랐다. 설과 아이젠하트는 "비좁게 배치된 자리 덕분에 의사소통이 원활해지고 창의적 발상 교환이 활발해졌으며, 경제적으로 부유한 직원들도 스타트업처럼 굶주린 약자와 같은 태도로 공격적으로 일하게 됐다"고 평가한다.

내가 가장 주목하는 부분은 굶주린 약자와 같은 태도다. 현재 구글은 '빅테크' 혹은 '테크 자이언트'를 대표한다. 문자 그대로 거인처럼 몸집이 걷잡을 수 없이 커졌지만 구글은 여전히 언더독(underdog)의 자세를 강조한다. 우리가 익숙한 개념으로 풀이하자면 초심(初心)과 헝그리 정신이 되겠지만 이를 빅테크 문화에서 재해석할 필요가 있다.

여기서 초심은 어떤 특정 시점의 마음을 잊지 말자는 뜻이 아니다. 매일 아침 눈을 떴을 때 자신을 새로 시작하는 직업인으로 정의하려는 마음이다. 지금껏 이룬 부와 혁신이 얼마나 막대하건 간에 과거가 아닌 미래를 보면서 새로이 출발점에 서는 자세다.

헝그리 정신도 마찬가지다. 빅테크의 헝그리 정신은 배고픔을 극복하고 졸업해야 할 대상으로 바라보지 않는다. 의도된 결핍은 부를 이뤘음에도 혁신을 지속하기 위해 끝까지 탑재해야 하는 전제조건이다. 따라서 초심과 헝그리 정신은 성공하고 나서 폐기하는 구식 하드웨어가 아니라 지속적이고 주기적으로 갱신해야 하는 소프트웨어와 같은 역할을 한다.

구글 캠퍼스를 벗어나 애플로 발걸음을 옮겼다. 구글과 애플을 잇는 가교는 역시 '헝그리 정신'이다. 애플 공동창업자 스티브 잡스의 2005년 스탠퍼드대학 졸업식 연설 마지막 문장은 '늘 배고프게, 늘 우직하게(Stay Hungry, Stay Foolish)'다.

대중은 이를 잡스가 창작한 말로 인식하지만 가장 처음 슬로건을 주창한 사람은 1960~1970년대 반문화(counterculture) 흐름을 이끈 스튜어트 브랜드다. 1968년부터 1972년까지 브랜드가 발간한 잡지 <홀어스카탈로그(Whole Earth Catalog)>의 폐간본 구호가 바로 '늘 배고프게, 늘 우직하게'였다. 이 구호는 당시 기술과 인간의 접점을 찾으려던 젊은 예비 창업자들에게 커다란 영감을 줬다. 대표적 인물이 스티브 잡스다. 잡스는 스탠퍼드대학 연설에서 '홀어스카탈로그'에 경의를 표하며 이를 종이로 만든 구글이었다고 평가했다.

잡스가 애플 직원들에게 남긴 마지막 유산은 아이폰이 아니라 애플의 현재 본사인 '애플파크'다. 그는 죽음을 앞두고 쿠퍼티노 지역의 부지를 하나씩 하나씩 매입한다. 수십년 전만 해도 과수원이었던 땅 60만㎡를 확보해 영속적인 회사를 표상하는 캠퍼스를 만드는 프로젝트에 착수한다. 그는 이 프로젝트를 공개하며 "대대손손 애플의 가치를 보여줄 수 있는 상징을 사옥으로 남기고 싶습니다"라고 말했다. 잡스가 설계에 깊숙이 관여한 애플파크는 결국 그가 사망한 지 5년이 넘어 2017년 완공된다.

현재 애플의 본사이자 제2캠퍼스인 애플파크는 완벽한 원을 그리고 있다. 왜 원 모양일까. 여기에는 잡스가 일평생 애플에서 추구한 총체성과 온전함(wholeness)이 담겨있다. 아쉽게도 외부인 출입을 허용하지 않는 까닭에 애플파크 내부를 들어갈 수는 없었다. 대신 애플이 1993년부터 2017년까지 본사로 사용한 제1캠퍼스에 초대를 받아 방문할 수 있었다. 애플 제1캠퍼스 이름은 '인피니트 루프(Infinite Loop)'다. 타원 모양의 이 캠퍼스 명칭은 컴퓨터 프로그램이 끝없이 동작하는 현상을 일컫는 '무한 루프'를 변주한 것이다. 하지만 동시에 선(禪)불교도로서 영속성과 한계없음을 추구한 수행자 스티브 잡스의 철학과 가치관이 숨어 있다.

인피니트 루프 캠퍼스에는 신입직원을 교육하는 '애플 대학(Apple University)'이 존재한다. 건물 한 벽면에는 잡스의 발언이 양각돼 있었다. NBC 앵커 브라이언 윌리엄스와 한 인터뷰에서 나온 말이었다. 윌리엄스가 묻는다. "성찰적 질문을 하나 하죠. 당신은 현재 애플이 이룬 성취를 어떻게 평가합니까?"

잡스가 답한다. "거기에 너무 오래 머무르지 말아야겠지요. 그저 다음이 뭔지 찾아내야 합니다(Do not dwell on it for too long. Just figure out what's next)."

누군가 실리콘밸리 정신적 본질이 무엇이냐고 묻는다면 주저없이 두가지를 들겠다. 시작하는 사람의 마음과 갈망하는 자의 결핍 말이다.

제35화 실리콘밸리 아버지와 카이스트

    실리콘밸리 생활을 마무리하려니 자연스레 죽음을 떠올리게 된다. 3년 근무를 하나의 생물(生物)로 보면 내가 누린 시공간이 이제 소멸을 앞두고 있다. 소멸은 죽음이고 죽음은 새로운 탄생과 맞닿아 있다. 실리콘밸리가 그렇다. 샌프란시스코 베이 지역의 과수원 지대가 소멸하고 세계 첨단산업을 이끄는 실리콘밸리가 탄생했다. 실리콘밸리는 언제 태어났을까. 토박이들의 여러 해석이 있겠지만 이방인 처지에서는 공인된 근거가 필요하다. 캘리포니아주의 공식 입장을 따른다.

1987년 8월 13일 캘리포니아 공원·휴양지관리국은 팔로 알토 애디슨 애비뉴 367번지를 사적 976호로 지정했다. 이 역사적 건물의 명칭은 '실리콘밸리 탄생지(Birthplace of "Silicon Valley")'다. 건물 앞에 설치된 동판에는 실리콘밸리에 일부러 큰따옴표를 붙였다. 영미권 사람들이 입말로 발음할 때는 분명 실리콘밸리 앞에서 양손으로 브이(V) 자를 그리는 제스처를 취할 것이다. 그도 그럴 것이 실리콘밸리가 탄생한 때와 실리콘밸리라는 표현이 등장한 시점은 30년 이상 차이가 나기 때문이다.

'실리콘밸리' 이름의 묵시적 저작권은 미국 언론인 돈 호플러(Don Hoefler)가 갖고 있다. 그는 1970년 1월 11일 전자뉴스(Electronic News) 신문에 샌프란시스코 베이 지역의 반도체산업 부흥을 다루면서 '미합중국 실리콘밸리(Silicon Valley, U.S.A.)'라고 익살스러운 제목을 붙인다. 과수원 지대였던 샌타클래라 밸리가 반도체산업의 중심으로 재탄생하는 움직임을 다룬 3부작 시리즈의 첫번째 기사였다. 1970년 1월 11일이다. 근무 틈틈이 여러 사료를 축적하면서 숫자를 틀리지 않기 위해 애썼다. 여전히 많은 이들이 실리콘밸리 표현이 등장한 기사의 게재일을 1971년으로 잘못 인지하고 있다. 심지어 마운틴뷰에 있는 '컴퓨터 역사 박물관(CHM)'의 온라인 페이지도 1970년 1월 11일 기사를 올려놓고 1971년으로 표기하는 오류를 범하고 있다.

실리콘밸리 명칭이 등장하기 32년 4개월 전으로 시계를 돌린다. 1937년 8월 23일, 두 명의 젊은이가 조만간 회사를 세우기로 큰 틀에서 합의한다. 회의록도 남겼다. 제목은 '기획 중인 기업의 잠정적 조직 계획과 잠정적 업무 프로그램(Tentative organization plans and tentative work program for proposed business venture)'이었다. 두 명의 젊은이는 윌리엄 휴릿과 데이비드 팩커드다. 둘의 이날 만남으로 휴렛팩커드(HP)가 태동했다. 휴렛팩커드가 움트면서 실리콘밸리도 싹텄다.

사실 이 자리에는 한 명이 더 있었다. 훗날 휴렛팩커드의 제조 책임으로 합류하는 '노엘 포터(Noel Porter)'까지 참석자는 셋이었다. 그는 에어컨디셔닝 회사에서 일하고 있던 터라 휴렛팩커드의 최종 창업자 명단에서는 빠졌다. 1937년 잠정적 합의를 이룬 휴릿과 팩커드는 이듬해 8월, 팔로알토 애디슨 애비뉴 367번지 차고에 주파수 발진기(audio oscillator)를 만드는 작업실을 꾸린다. 이곳이 바로 캘리포니아주가 사적 976호로 지정한 '실리콘밸리 탄생지'다.

실리콘밸리 탄생의 뿌리가 된 인물은 누가 뭐래도 프레드 터먼(Fred Terman)이다. 1900년 6월에 태어난 그는 1982년 12월에 사망했다. 터먼은 20세기 중반, 스탠퍼드대학의 공과대학장과 교무처장을 역임했다. 그의 인생을 연대기로 정리한 책이 2004년 스탠퍼드대학 출판부에서 발간됐다. 웨

슬리안 대학 역사과학 교수인 스튜어트 길모어가 작업한 이 전기의 제목은 <스탠퍼드의 프레드 터먼: 체계를 만들고, 대학을 만들고, 실리콘밸리를 만들다(Fred Terman at Stanfod: Building a Discipline, a University, and Silicon Valley)>이다. 아직 우리말로는 번역되지 않은 책의 첫장은 시작부터 터먼을 '캘리포니아 소년(California Boy)'으로 정의한다.

프레드 터먼은 어린 시절 스탠퍼드대학 캠퍼스에서 뛰놀며 자랐다. 그의 아버지가 바로 스탠퍼드대학 심리학과 학장을 지낸 루이스 터먼이다. 루이스 터먼은 유럽에서 지능지수(IQ) 검사를 도입해 미국식으로 개정하고 세계에 전파한 인물로 널리 알려져 있다. 현시대에는 우생학을 옹호한 사람으로서 많은 비판도 받는다.

자연스레 아버지의 일터에서 성장한 프레드 터먼은 성인이 되어서도 캘리포니아의 정체성을 사랑했다. 하버드대학에서 일하면서도 언젠가는 스탠퍼드로 돌아와 자신이 자란 지역에 기여하겠다는 꿈을 잃지 않았다. 스탠퍼드대학 전기 공학 교수가 되어서도 그는 학생들이 졸업 후 동부로 가는 풍토를 마뜩잖게 여겼다. 서부에서 창업하기를 권했고 직접 발로 뛰면서 종잣돈까지 마련했다. 휴렛팩커드가 대표적 사례다. 그는 제자 윌리엄 휼릿과 데이비드 팩커드를 위해 초기 자본금 538달러를 유치했다. 지금 가치로 환산하면 1만 달러가 넘는 큰 금액이다.

널리 알려진 그의 별칭은 '실리콘밸리의 아버지(Father of Silicon Valley)'다. 이는 그의 인생 전체를 통틀어 생각하면 반쪽짜리 별명이다. 프레드 터먼은 실리콘밸리가 탄생하도록 씨앗을 뿌린 동시에 미국 밖에도 혁신 생태계가 생겨나도록 산파 역할을 했다. 대표적 사례가 카이스트의 전신인 한국과학원(KAIS)이다. 상기한 전기 '스탠퍼드의 프레드 터먼'의 마지막 장은 터먼이 스탠퍼드대학에서 은퇴한 이후를 다룬다. 1970년부터 1975년까지 프레드 터먼이 가장 공들인 일은 실리콘밸리에서 확립한 체계를 한국에 이식하고 적용하는 일이었다.

1970년 7월, 산업발전에 필요한 이공계 전문 대학원을 설립하는 '한국과학원법'이 국회를 통과하면서 우리 정부는 미국 국제개발처(USAID)에 본격적으로 도움을 요청한다. 스탠퍼드대학 전기공학 교수 출신으로 닉슨행정부에서 과학자문관으로 일하던 휴버트 헤프너(Hubert Heffner)는 한국 실사단을 이끌 인물로 프레드 터먼을 적극 추천한다. 결국 터먼이 단장으로 낙점되고 이후 터먼은 1970년 8월, 3주간의 일정으로 한국을 방문한다. 이를 시작으로 터먼은 5년에 걸쳐 다섯번이나 한국에 온다.

1970년 12월 마침내 노력의 결과물이 나왔다. 제목은 '한국과학원 설립에 관한 조사 보고서'다. 흔히 '터먼 보고서(Terman Report)'로 알려져 있다. 국가기록원에서 온라인으로도 찾아볼 수 있는 이 보고서 표지에는 실사단 5명의 이름이 나란히 적혀 있다. 단장은 프레드 터먼이다. 단원은 도널드 베네딕트, 정근모, 프랭클린 롱, 토머스 마틴이다.

실사단은 보고서를 완성하는 과정에서 단원들이 교통사고를 당하고 심각한 질병에 걸리는 등 우여곡절을 겪는다. 결국 단장 프레드 터먼이 조사보고서의 많은 부분을 직접 쓸 수밖에 없었다. 터먼은 보고서 작업을 하며 "과학기술 교육은 실생활을 구성하는 산업과 동떨어져서는 안된다"고 전제한다. 또한 "한국의 과학기술 교육은 실천가(doer)를 양성해야 한다"며 한국과학원의 목적과 방향성을 분명히 했다. 무엇보다 그는 한국과학원 커리큘럼에 기업가정신(entrepreneurship) 과정이 빠진 것을 알고 크게 우려했다.

보고서 끝부분에 터먼의 신념이 잘 드러난다. 마지막 장의 제목은 '장래의 꿈'이다. 이 장은 "서기 2000년 우리는 매우 큰 희망을 가질 수 있다"고 시작해 "한국은 모든 개발도상국에게 자극을 주고 희망과 기대가 한데 뭉친 하나의 귀감이 될 것이다"로 마친다. 그동안 보고서에서 잘 볼 수 없었던 단어들이 연이어 등장한다. 꿈, 희망, 기대, 귀감 말이다. 서기 2024년에도 여전히 터먼 보고서가 우리에게 시사하는 바가 있다.

제36화 5개의 키워드로 읽는 구글

    매일 아침을 구글로 시작한다. 사무실에 도착하면 데스크톱 컴퓨터를 켜고 크롬 브라우저를 연다. 브라우저의 홈페이지는 구글이다. 회사 업무와 별도로 쓰는 개인용 이메일은 지메일(Gmail)이다. 실리콘밸리 근무를 시작하면서 마련한 휴대전화는 구글의 픽셀6다. 한국에는 발매가 되지 않았기에 현지에서 일하는 동안 사용해 보고 싶었다. 그렇다고 해서 내가 구글의 엄청난 팬은 아니다. 현대 사회에서 컴퓨터나 모바일 기기를 사용하는 사람이라면 구글이 제공하는 서비스와 떨어져 살 수 없다. 사실상 불가능할 것이다.

빅테크의 서비스에 예속되어 살아갈 수밖에 없는 현실에서 가능한 한 일정 시간은 테크놀로지와 거리를 두려고 애쓴다. 걸어서 출근하다가 문득 구글의 서비스센터는 어디일까 궁금해졌다. 사무실에 도착해 구글로 구글의 서비스센터를 검색한다. 구글은 자사 소개 홈페이지(about.google.com)에 대표 연락처와 주소를 공개해 놓았다. 해당 주소는 구글의 본사인 마운틴뷰의 1600 앰피씨어터 파크웨이(1600 Amphitheatre Parkway)다. 구글에서 근무하는 하드웨어 엔지니어의 도움으로 흔히 구글플렉스(Googleplex)라 불리는 본사 내부를 방문할 수 있었다. 5개의 장면을 통해 빅테크를 대표하는 구글이 과연 무엇을 추구하는지 추론할 수 있었다.

공짜 점심: 무한한 자유와 책임

구글의 점심은 공짜다. 직원들 뿐 아니라 직원이 초대하는 외부인도 제한 없이 구글의 음식을 먹을 수 있다. 처음부터 구글이 최고급의 음식을 무제한 제공하는 기업으로 유명했던 것은 아니다. 창업 초기만 해도 구글 사무실에는 맥도날드나 크리스피크림 도너츠밖에 없었다. 구글의 직원이 45명으로 늘어난 시절, 현재 구글의 기업문화에 크게 기여한 인물이 주방장으로 합류한다. 훗날 구글의 비공식 '문화

부장관'이라 불린 찰리 아이어스(Charlie Ayers)가 1999년 일을 시작한 것이다. 아이어스가 구글의 셰프로 뽑히기 전까지 구글은 25명 이상의 후보들에게 퇴짜를 놓았다는 사실은 널리 알려져 있다.

놀라운 점은 45명 시절에 확립한 문화를 직원이 4만 명이 넘는 현시점까지 유지하고 있다는 사실이다. 구글 캠퍼스를 돌아다니면서 보니 곳곳에 커피, 음료수, 아이스크림이 놓여 있었다. 한결같이 가격이 꽤 나가는 브랜드 상품이다. 데이비드 바이스가 쓴 〈구글 스토리〉에 따르면 "왜 구글에서 일하기 좋은지를 묻는 설문조사에서 응답자 열의 아홉이 음식을 꼽았다"고 한다. 구글의 최고급 공짜 점심은 매우 상징적이다. 구글은 직원들에게 업무하기 가장 좋은 환경을 제공한다. 현직 엔지니어에 따르면 빡빡한 출퇴근 개념도 없다고 한다. 다만 그에 따른 무서운 책임도 직원의 몫이다. 매니저가 주기적으로 성과를 관리하며 결과로 자신의 능력을 증명하지 못하면 해고의 위험도 그만큼 커진다. 노동 유연성이 큰 미국 근무환경에서 구글의 공짜 점심은 무한한 자유와 책임을 의미한다.

네 가지 색깔의 밴드: 다양성

구글에서 점심을 먹기 전에 손을 씻으러 화장실에 들렀

다. 깔끔한 화장실의 세면대에는 손 세정제, 손 소독제, 핸드크림 등이 놓여있었다. 특이하게 상처에 붙이는 밴드도 구비되어 있었다. 네 가지 색깔 밴드를 보면서 구글이 추구하는 가치를 확인할 수 있었다. 일반적으로 한국이라면 살구색 밴드 하나를 배치하려는 생각에서 그치기 십상이다. 구글은 피부색 차이를 고려해 네 가지 선택권을 마련해 놓았다. 미국을 대표하는 회사답게 다양성에 기반해 기업 문화를 만들어 가는 모습이 인상적이었다.

2023년 구글은 자사 테크 분야에서 일하는 구성원의 인종을 다섯으로 구분하고 있다. 아시아계, 흑인계, 히스패닉계, 미국 원주민계, 백인계다. 비율은 아시아계가 50.9%로 가장 많고 백인계가 42.2%로 뒤를 잇고 있다. 다음은 히스패닉계 6.2%, 흑인계 4.1%, 미국 원주민계 0.7% 순이다. 구글은 인종과 문화적 다양성에 민감하고 진지하게 접근하고 있다는 메시지를 던지고 있었다. 네 가지 색깔 밴드와 같이 캠퍼스 곳곳에 정교하게 배치한 장치를 통해서 말이다.

자전거: 수평성

식사를 하고 소화도 할 겸 구글 캠퍼스를 산책한다. 가장 눈에 띄는 것은 알록달록한 자전거다. 구글은 직원들이 넓은 캠퍼스를 이동할 수 있도록 캠퍼스 곳곳에 자전거를 배치해 놓았다. 이름하여 지바이크(G-Bike)다. 구글의 자전거는 화려한 디자인으로도 유명하지만 그만큼 직원들의 자연스런 상호작용을 독려하는 도구로 활용되고 있다. 캘리포니아의 지진 위험과 규제 탓도 있지만 실리콘밸리의 빅테크 기업은 높은 지가에도 건물을 낮고 넓게 짓는 방식을 선호한다. 수평적 커뮤니케이션에 커다란 가치를 두기 때문이다.

만약 미국 동부나 한국이었다면 어떨까. 뉴욕 맨해튼은 단단한 암반으로 된 섬이다. 좁은 땅을 최대로 활용하려다 보니 고층 건물이 빽빽이 들어선 형태로 도시가 형성되었다. 뉴욕 맨해튼 회사 안에 자전거를 배치하려는 시도는 여러모로 저항에 부딪힐 것이다. 우선 고층 빌딩 안에 사무실을 구성하고 있는 다수 회사는 자전거로 이동할 필요성을 느끼지 못한다. 층별로 구분된 수직적 공간에 필요한 이동 수단은 엘리베이터다. 수평으로 이동하는 자전거와 엘리베이터는 양립할 수 없다. 낮고 넓게 형성된 실리콘밸리의 캠퍼스는 캘리포니아의 빅테크 기업이 추구하는 수평적 조직 문화를 의미한다. 특히 구글은 이를 캠퍼스 곳곳에 비치된 무료 자전거를 통해서 상징적으로 드러내고 있다.

캠퍼스 전시품: 예술성

구글플렉스 건물 여기저기에는 소소한 예술 작품이 전시되어 있다. 건물 안에 조금 넓은 공간이 나온다 싶으면 어김없이 예술 작품을 구성해 놓았다. 처음 마주한 작품은 뒷바퀴를 제거한 채 비스듬히 원형으로 배치한 구글 자전거였다. 전시품을 보면서 내가 받은 느낌은 구글도 결국 사람이 만든 회사라는 것이다. 해당 작품은 구글을 창업한 사람들도, 구글에서 일하는 사람들도 모두 지구(Mother Earth)에서 왔다는 사실을 일깨우려는 의도로 읽혔다. 사무 공간 바로 옆에 배치한 예술품을 통해서 구글이 지향하는 바를 구성원들에게 환기하고 방문객들에게 홍보하려는 목적을 충분히 짐작할 수 있었다.

조금 더 걸으니 프랑스 파리의 에펠탑이 떠오르는 작은 구조물이 나왔다. 알록달록한 색깔과 기하하적인 무늬는 얼핏 추상예술 구조물로 보였다. 다가오는 성탄절을 미리 축하하려는 구글식 크리스마스 트리로 해석할 여지도 있었다. 진의가 무엇이든 간에 구글은 일과 놀이의 경계를 허무는 작업을 사무실 안에서 진행하고 있다. 마치 구글은 "여기가 우리의 일터인 동시에 우리의 놀이터입니다"라고 말하는 것 같았다. 일을 놀이로 만드는 수단은 곳곳에 배치한 예술 작품이다.

구글은 자신들의 사명을 '세상을 새롭게 만드는 활동'으로 규정한다. 이는 우리가 예술을 통해서 추구하는 바와 적확히 일치한다. 애플의 스티브 잡스도 죽음을 앞두고 "나는 훌륭한 예술가와 훌륭한 엔지니어가 비슷한 사람이라고 본다"고 말했다. 구글플렉스를 거닐며 구글은 자신들을 세상을 새롭게 하는 예술가로 정의하지 않을까 생각했다. '사악해지지 않고도(Don't be evil)' 예술적으로 이윤을 추구할 수 있다는 사실을 구글은 넌지시 드러내고 있었다.

마음챙김: 지속가능성

구글 캠퍼스 방문을 마무리하며 눈에 들어온 공간은 건강을 위한 시설이다. 피트니스센터뿐 아니라 작은 병원과 마사지실, 명상실을 마련해 놓았다. 구글이 최고의 인재를 뽑기 위해 세밀하게 설계한 채용 정책은 널리 알려졌다. 캠퍼스를 소개해준 엔지니어도 구글에 입사하는 과정에서 여섯 번이나 인터뷰를 봤다고 했다. 구글은 어려운 관문을 통과하고 합류한 직원들이 최고 수준의 역량을 유지할 수 있도록 몸과 마음 건강에 필요한 다양한 프로그램을 제공하고 있었다. UC버클리의 인류학 교수 캐롤린 첸은 자신의 저서 〈먹고 기도하고 코딩하라〉에서 "빅테크 기업은 이제 캠퍼스 안에서 종교적 기능까지 포괄하려는 동향을 보인다"고 분석했다.

빅테크에 다니는 구성원이 회사와 자신의 정체성을 동일

화하려는 움직임을 구글에서 가늠해볼 수 있었다. 무엇보다 구글이 가장 공을 들이는 부분은 최고의 인재를 영입하고 영입된 인재의 수준을 유지하는 것이다. 구글은 이를 위해 직원들의 육체적 건강뿐 아니라 정신 건강을 챙기는 일에도 한껏 힘을 쏟고 있었다. 결국 구글은 항시 최고의 인재로 구성된 회사만이 지속 가능하다고 믿기 때문이다.

구글 기업문화의 재해석

구글 방문을 마무리하며 한국의 젊은 창업자들을 떠올렸다. 구글도 시작할 때는 작은 회사였다. 공동 창업자 세르게이 브린과 래리 페이지는 1998년 캘리포니아 멘로파크의 한 차고에서 구글을 창업했다. 25년이 지나 구글은 세상에서 가장 큰 기업 중 하나가 되었다. 구글 캠퍼스를 거닐면서 구글이 회사를 키우며 소중히 여긴 가치를 확인할 수 있었다. 앞서 말했듯이 무한한 자유와 책임, 다양성, 수평성, 예술성, 지속가능성 등 다섯 가지다. 그중에서도 실리콘밸리를 대표하는 가장 중요한 가치는 무한한 자유와 책임이다.

흔히들 회사를 세우기는 어렵지 않으나 회사를 키우고 유지하는 것은 차원이 다른 문제라고 말한다. 구글을 방문하고 가장 놀란 점은 회사가 어마어마한 크기로 커졌음에도 처음 도입했던 문화를 유지하고 있다는 사실이다. 직원이

45명이던 시절 제공하던 공짜 점심을 직원 수가 4만 명이 넘은 지금까지 최고급으로 고수하고 있다는 점에서 적잖은 충격을 받았다. 구글의 기업 문화를 대변하는 다섯 가지 가치는 우리나라의 젊은 창업자들도 회사를 세우고 키워나가면서 탑재할 필요가 있을 것이다. 물론 단순히 구글을 흉내 내는 시도에 그치지 않고 우리 실정에 맞게 갈고닦을 수 있다면 더할 나위가 없겠다.

제37화 세 개의 점, 세계의 눈

　3년을 마감하려니 점(點) 세 개가 남는다. 물리적 공간을 가리키는 지도 위의 점이기도 하고 세계를 바라보는 관점이기도 하다. 나는 2021년 1월부터 미국 실리콘밸리 근무를 시작했다. 내게 할당된 기간은 3년이었다. 인천에서 샌프란시스코를 향하는 비행기 안에서 다짐했다. 1년에 하나씩은 실리콘밸리를 해석하는 나만의 관점을 탑재하리라고 말이다. 관점은 추상적이지만 이를 드러내는 방식은 현실적이어야 한다. 3년이 지나고 돌아보니 세 개의 공간이 남았다. 근무하며 틈날 때마다 찾았던 장소 세 곳을 소개한다.

휴렛팩커드 캠퍼스, 지리적·역사적 시각

실리콘밸리 근무 초창기, 가장 공을 들인 일은 실리콘밸리를 하나의 실체로 인지하는 것이었다. 실리콘밸리는 지리적 개념이 모호한 가상의 공간이다. 통계 기준만 봐도 그렇다. 매년 민간에서 발간하는 '실리콘밸리 인덱스(Index)'에 따르면 실리콘밸리는 샌타클래라, 샌머테이오, 앨러미다, 샌타크루즈 등 4개 카운티를 포함한다. 미국 정부 차원의 노동통계는 여기에 콘트라코스타, 샌프란시스코 카운티까지 두 개를 더해 6개를 대상으로 수치를 집계한다. 이처럼 구획이 불분명한 실리콘밸리 대신 현지인들은 '베이 지역'이라는 표현을 주로 사용한다. 엄밀히 풀어서 쓰자면 '샌프란시스코 베이 에어리어(Bay Area)'다.

실리콘밸리를 지리적으로 받아들이기 위해 틈날 때마다 걸었다. 운전할 때도 웬만하면 내비게이션을 보지 않고 목적지를 찾아가려고 애썼다. 주말에 산책하다가 베이 지역을 조망할 수 있는 곳을 발굴했다. 집에서도 걸어서 한 시간이면 올 수 있는 곳이었다. 지도로 보면 움푹 들어간 샌프란시스코만(灣)의 끝자락에 해당하는 지점이다. 힘들 때마다 이곳을 찾았다. 높은 곳에서 바다를 내려다보며 새로운 공기를 마셨다. 무엇보다 여기에는 휴렛팩커드에서 분사한 HPE의 캠퍼스가 있었다. 클라우드 서비스 등 컴퓨팅 솔루

션을 제공하는 기업 HPE의 본부 역할을 2022년도 초까지 했다. HPE가 본사를 텍사스주 휴스턴으로 이전한 지금은 혁신 중심(Innovation Hub)으로 기능하고 있다.

베이 지역을 조망할 수 있는 곳에 휴렛팩커드를 모태로 하는 기업이 존재한다는 사실은 매우 상징적이다. 실리콘밸리라는 용어가 처음 세상에 등장한 것은 1970년이지만 실리콘밸리가 탄생한 때는 1938년으로 보는 게 합당하다. 캘리포니아주는 윌리엄 휼렛과 데이비드 팩커드가 1938년 작업했던 차고를 '실리콘밸리 발생지(Birthplace of Silicon Valley)'로 지정했다. 이처럼 휴렛팩커드의 창업과 실리콘밸리의 시작은 궤를 같이한다.

시티라이츠 서점, 문화적·정신적 시각

혁신 생태계의 정신적 근간은 변화에 대한 갈망이다. 실리콘밸리가 미국에서도 서부, 서부에서도 샌프란시스코를 둘러싼 베이 지역을 중심으로 형성된 것은 우연이 아니다. 문화적으로 실리콘밸리는 1950년대 태동한 비트 문학(Beatnik)과 1960~70년대로 이어진 히피 운동에 커다란 빚을 지고 있다. 새로운 사회를 갈구했던 비트 세대와 히피 세대의 열망은 기술로 세상을 바꾸려는 젊은이들에게 영감의 원천이 되었다. 대표적인 인물이 1976년 애플을 공동

창업한 스티브 잡스다. 잡스의 공식전기를 작업한 월터 아이작슨은 사후 10주년을 맞아서 후기를 쓴다. 10주기 특별판에서 그는 잡스를 '평생 우주와의 영적 연결을 추구한 구도자(a lifelong seeker who sought a spiritual connection to the cosmos)'로 정의했다.

정신적으로, 문화적으로 실리콘밸리를 이해하기 위해 틈날 때마다 샌프란시스코의 시티라이츠(City Lights) 서점을 찾았다. 1953년에 문을 연 이곳은 비트 문학의 중심지였다. 지금도 한 층이 통째로 비트 문학관으로 구성되어 있다. <길 위에서(On the Road)>의 작가 잭 케루악, <울부짖음(Howl)>의 시인 앨런 긴즈버그와 같은 인물들이 시티라이츠를 중심으로 활동했다. 특히 긴즈버그는 자신의 시를 발간할 출판사를 찾지 못하자 시티라이츠에서 독립출판을 실험했다. 비트 문학의 영향을 받은 미국 대중가수 중 가장 유명한 사람은 밥 딜런(Bob Dylan)이다. 스티브 잡스가 평생 밥 딜런의 열렬한 팬이었다는 사실은 널리 알려졌다. 잡스가 애플의 초기 정체성을 확립하고 사후에도 지속될 정신적 유산을 남기는 과정에서 비트 문학과 히피 운동이 얼마나 큰 역할을 했는지 짐작할 수 있다.

로렌스 버클리 국립연구소, 과학적·기술적 시각

지리적으로 안정된 공간에서 문화적으로 변화의 씨앗이 움트고 있던 20세기 중반, 실리콘밸리에는 무엇이 더 필요했을까. 자본이다. 제2차 세계대전이 끝나고 냉전이 시작되면서 미국 정부는 태평양 연안 방어에 공을 들인다. 이를 기점으로 서부 해안을 따라 형성된 도시로 대규모 연구자금이 몰려든다. 가장 큰 수혜자는 스탠퍼드와 UC버클리로 대표되는 베이 지역의 대학이었다. '린 스타트업' 흐름을 주도한 경영학자 스티브 블랭크는 "1950년대와 60년대, 미국 대학들이 진행하던 기술연구 자금은 3분의 1 이상이 육군에서 나왔다"며 "일례로 1966년 스탠퍼드대는 전자기기 개발에 투입된 전체금액의 35%를 국가 기밀 프로그램에서 지원받았다"고 말한다.

개별대학의 연구가 활성화되면서 대학과 대학 사이에서 정보를 교환하는 인프라 구축의 중요성도 커졌다. 특히 현실적 위협으로 떠오른 핵 공격이 초래할 통신 파괴에 대비해 연구자들은 새로운 형태의 커뮤니케이션을 고안하기 시작했다. 미 태평양 표준시(PST)로 1969년 10월 29일 오후 10시 30분, 스탠퍼드대학과 UCLA의 컴퓨터가 최초로 교신에 성공했다. 이때가 바로 인터넷이 세상에 처음으로 선보인 시점이다. 인터넷 발전에서 또 하나의 중요한 분기점은 베이 지역의 버클리에서 나왔다. 1986년 10월, UC버클리와 로렌스 버클리 국립연구소(LBNL)를 연결하는 통신선 속도가 급속히 느려졌다. 이를 유심히 살피던 연구원 반 제이콥슨(Van Jacobson)은 기존의 전송제어프로토콜(TCP) 방식에 한계가 있음을 발견하고 혼잡제어(Congestion Control) 알고리즘을 재설계했다. 당시 인터넷은 등장한 지 20년 가까이 되었음에도 전세계 사용자가 1만 명 수준이었다. 제이콥슨의 노력을 계기로 인터넷은 새로운 돌파구를 마련한다. 이처럼 물질적으로 풍요로운 연구환경과 수준 높은 과학·기술 인재의 끝없는 노력은 실리콘밸리의 밑바탕이 되었다.

일하면서 틈틈이 시간을 내어 UC버클리 캠퍼스 뒤편 산에 있는 로렌스 버클리 국립연구소를 찾았다. 전망이 탁 트인 이곳에서 샌프란시스코와 베이 지역을 내려다봤다. 물고기는 자신이 물 속에 사는지 모른다. 일과 생활에 치이다 보면 내가 존재하는 시공간의 의미를 잊기 십상이었다. 버클리의 산꼭대기에서 금문교를 바라보며 여러 각도에서 실리콘밸리의 가치를 재해석해야겠다고 다짐했다. 3년이 지났고 여정을 마감할 시점이다. 이제 시공간을 대한민국으로 옮긴다. 실리콘밸리는 세 개의 점으로 남았다. 무엇보다 총체적 세계를 바라보는 눈을 갖고 싶었다. 벅찬 일이었지만 시도만으로도 큰 기쁨이었다.

나오며: 희망이 있다

2024년 첫번째 태양을 금문교에서 맞이했다. 적확하게는 태평양 연안 산중턱에서 금문교를 바라보며 해가 솟기를 기다렸다. 태평양 표준시로 2024년 1월 1일 오전 7시 22분 샌프란시스코에 새로운 해가 떠올랐다. 압도적인 풍경이었으나 도취되고 싶지 않았다. 3년 근무가 끝나가면서 귀국이 임박함에 따라 떠들썩한 다짐보다는 차분한 정리가 필요했다. 태양을 응시하며 마음 속으로 구호 하나를 되뇌었다. "희망이 있다, 희망이 있다, 희망이 있다(There is Hope)."

처음 실리콘밸리에 도착해서 자전거를 타고 찾아간 곳이 금문교다. 금문교의 자전거 전용도로는 예상보다 훨씬 좁았다. 하릴없이 자전거를 접어서 끌고 걸었다. 걸으면서 보는 베이 지역의 풍광도 운치가 있었지만 자전거를 타고서는 그냥 지나쳤을 법한 안내판이 눈에 들어왔다. 생과 사의 경계에 서서 금문교에 올랐을 사람들을 위한 비상전화 카운슬링 안내였다. 직통전화의 문구는 간략하면서도 명료했다. '희망이 있습니다, 전화하세요(THERE IS HOPE, MAKE THE CALL).' 촌각을 다투는 결정적 순간, 짧고 굵은 한마디가 사람을 구할지 모른다.

단순한 문장이지만 '희망이 있다'는 문구는 이후 나의 가슴에도 깊숙이 박혔다. 고백하자면 매일 아침 눈을 떴을 때

막막한 순간이 많았다. 그럴 때마다 의식적으로 "희망이 있다"를 곱씹었다.

무엇이 막막했을까. 압도적인 규모와 속도 때문이다. 하루가 다르게 바뀌는 실리콘밸리의 기술 흐름조차 따라잡기가 벅찼다. 근무 첫해는 모두가 '디지털 전환'을 이야기했다. 하지만 당시 품었던 의문은 '우리가 언제쯤 디지털 세상에서 완전한 의식주를 영위할 수 있을까'였다. 답을 찾으려다 보니 선행되는 물음은 '완전한 디지털 전환이 이뤄졌을 때 무엇이 인간을 인간답게 하는가'였다. 한가한 고민으로 해석될 여지가 컸기에 애써 입 밖으로 내지는 않았다.

1년이 지났다. 코로나19가 안정되면서 사람들은 보란 듯이 대면 활동에 나섰다. 디지털 세계에서도 충분히 가능한 일들이었지만 많은 이들이 해방감을 만끽하듯이 밖으로 나왔다. 디지털 전환을 외치던 테크기업들은 확장이 여의치 않자 대량해고를 감행했다. 지금은 누구도 디지털 전환을 내세우지 않는다. 무엇이 인간을 인간답게 하는가에 대한 답은 아직 찾지 못했다. 디지털 전환을 둘러싼 일련의 과정을 보면서 '인간을 인간답게 하는 공통된 무엇이 반드시 있다'는 결론에는 도달했다.

근무 2년차에 떠오른 기술 화두는 '메타버스'였다. 메타버스를 이해하기 위해 실리콘밸리에서 열리는 테크 콘퍼런스를 찾아다녔다. 당시 한국에서는 '메타버스로 어떻게 돈을 벌 것인가'가 주된 담론이었다. 메타버스 시대를 대비해 우리가 뒤처지지 않고 수익을 만들어내기 위해서는 이제부터 어떻게 해야 하느냐가 많은 이의 관심사였다.

하지만 실리콘밸리의 테크 콘퍼런스는 메타버스 시대가 불러올 급속한 가치변화와 새로운 인간 윤리에 더욱 집중하고 있었다. 콘퍼런스에서 가장 중요한 물음은 메타버스가 보편화되었을 때 '가상공간에서 활동하는 인간의 권한을 얼마나 부여하고 인간의 범위를 어디까지 규정할 것인가'였다.

실리콘밸리 테크 콘퍼런스 현장에서 이처럼 본질적이고 철학적인 이야기가 오간다는 점에서 적잖은 충격을 받았다. 도전자 입장일 수밖에 없는 한국에서는 주로 한가한 소리로 치부되는 주제에 대해 미국 현지 연사들이 진지한 토론을 하는 것을 보고 내심 놀랐다. 쟁점은 결국 '기술 발전과 함께 인간을 어떻게 바라볼 것인가'다.

언젠가 메타버스 시대가 도래할 것은 크게 의심하지 않지만 메타버스가 현재 인류를 설득하는 일은 쉽지 않아 보인다. "지금 메타버스 이야기를 하는 유일한 사람은 마크 저커버그뿐"이라는 기술 전문잡지 '와이어드'의 평가가 있을 정도로 시장의 관심은 빠르게 식었다. 이와 달리 순식간에 각광을 받은 기술은 생성형 인공지능(AI)이다. 근무 마지막 해에는 실리콘밸리에서 만나는 사람마다 챗GPT를 이야기했다. 메타버스에 미적지근한 대중이 챗GPT에는 열광했다.

이러한 차이를 보면서 다시금 떠올린 생각은 '인간이 공통적으로 감응하는 무엇인가가 분명히 있다'는 사실이다.

거대 기술기업 구글이 머뭇거리는 사이 상대적으로 기민한 오픈AI가 GPT 서비스를 선점한 것도 근무 하반기의 커다란 화제였다. 생성형 인공지능을 둘러싼 둘의 대결은 오픈AI를 공동 설립한 일론 머스크와 구글 창업자 래리 페이지의 가치관 차이까지 거슬러 올라간다.

2013년 나파밸리에서 열린 머스크의 생일파티에서 둘은 인공지능을 두고 충돌한다. 머스크는 "인간의 의식은 우주의 소중한 불꽃(Human consciousness was a precious flicker of light in the universe)"이므로 "안전장치를 마련하지 않으면 인공지능이 인간을 대체할 것(Unless we built in safeguards, artificial intelligence systems might replace humans)"이라고 말했다.

래리 페이지는 즉각 반발했다. "언젠가 기계가 지능과 의식 수준에서 인간을 능가한다고 해도 이는 그저 진화의 다음 단계일 뿐(If machines someday surpassed humans in intelligence and consciousness, it would simply be the next stage of evolution)"이라는 게 페이지의 기본 입장이다. 페이지는 아예 머스크를 인간만 편향적으로 우월시하는 '종차별주의자(specist)'로 규정할 정도였다. 머스크의 대답은 짧지만 단호하다. "나는 친인간적이에요(I am pro-human)."

인간과 기계가 어떤 관계를 맺어야 하는지에 대한 입장은 기업가마다 다르다. 래리 페이지는 기계가 인간을 능가할 수 있다고 보며 언젠가 이러한 시점이 다가올 것으로 예상한다. 래리 페이지와 공동창업자 세르게이 브린이 구글을 설립하면서 컴퓨터 과학자 앨런 튜링(Alan Turing)과 미래학자 레이 커즈와일(Ray Kurzweil)의 영향을 크게 받았다는 사실은 공공연하게 알려져 있다. 튜링은 컴퓨터와 로봇이 스스로 학습해 인간을 뛰어넘는 사고까지 할 수 있다고 주장했다. 커즈와일은 언젠가 인간이 영생할 수 있는 '특이점(singularity)'이 온다는 개념을 제시했다. 2005년 처음 책이 발간될 당시 2045년으로 제시된 특이점은 현재 기준 2029년으로 당겨졌다는 이야기까지 나온다.

반면 21세기를 대표하는 실리콘밸리의 기업가 두 명은 기술을 활용하는 인간의 능력, 다시 말해 인간다움에 방점을 찍는다. 둘은 바로 일론 머스크와 스티브 잡스다. 2023년 발간된 일론 머스크 전기를 보면 머스크가 "나는 정말로 인간다움을 좋아한다(I like humanity)"고 받아치는 장면이 나온다. 거침없는 그답게 F로 시작하는 욕설을 섞어서 강조하며 말한다.

죽음을 앞둔 스티브 잡스는 보다 담담하게 고백했다. 그는 전기작가에게 보낸 편지에서 "우리의 혁신에는 인간애가

<u>흐르고</u> 있다(There's a deep current of humanity in our innovation)"고 서술한다. 한발 더 나아가 "훌륭한 기술자(engineer)와 훌륭한 예술가(artist)는 비슷한 사람들"이라고까지 말한다.

실리콘밸리 근무를 마감하며 큰 질문에 대한 작은 힌트를 얻고 간다. 인간과 기계의 관계에 대한 나의 입장은 일론 머스크와 스티브 잡스에 가깝다. 기계가 인간을 능가해서 사고하는 시점이 올 수 있겠지만 그때까지라도 인간을 인간답게 하는 능력을 갈고닦을 생각이다. 그게 무엇인지 확신할 수 없지만 체험과 직관과 의외성에 기반한 글을 창작하면서 인공지능의 도움을 받지 않았다는 사실은 밝혀둔다. 기술자는 못 되더라도 예술가는 되고 싶었다. 희망이 있다.